Dirk Syndram

Das Grüne Gewölbe
The Green Vault
La Voûte Verte

Koehler & Amelang

Inhalt
Table of Contents
Sommaire

Vorwort

Preface
Préface

Das sächsische Schatzkammermuseum des Grünen Gewölbes war von jeher eine internationale Sammlung. Neben den zahlreichen Landesteilen des einstigen Heiligen Römischen Reiches Deutscher Nation, zu dem auch Österreich gehörte, haben über viele Jahrhunderte Dänemark und England, Frankreich und Italien, Polen und Rußland zu den Schätzen beigetragen, die August der Starke zu einem Museum zusammenfaßte. Die ererbten und von ihm hinzuerworbenen Hauptwerke der europäischen Kunst und Kultur wurden von diesem sächsisch-polnischen Kurfürst-König in den Jahren 1723 bis 1730 in den Räumen des Grünen Gewölbes vereint. Seit dieser Zeit stand die Sammlung den kunstinteressierten Besuchern Dresdens offen und repräsentierte den kulturellen und materiellen Reichtum dieser traditionsreichen Residenzstadt. Nicht alleine durch seine Meisterwerke aus Renaissance und Barock oder durch die Fülle an Juwelenschmuck wurde das Grüne Gewölbe ein einmaliges Zeugnis europäischer Kunst, auch als barockes Museumskunstwerk leistete es einen wichtigen Beitrag zur abendländischen Kulturgeschichte. Die seit dem Zweiten Weltkrieg nicht mehr für museale Zwecke nutzbaren Innenräume des Grünen Gewölbes im Dresdener Schloß werden 2006 im alten Glanz erstrahlen. Das Neue Grüne Gewölbe bestätigt schon seit September 2004 diesen hohen Anspruch. Dieses Buch entstand in dem Wunsch, nicht allein Besuchern aus dem deutschen, sondern auch denjenigen aus dem englischen und französischen Sprachraum die Schätze des Grünen Gewölbes näherzubringen. Es soll ihnen gleichsam einen visuellen Rundgang durch ihr gemeinsames kulturelles Erbe ermöglichen.

Dresden, Februar 2005
Dirk Syndram

The Saxon treasure chamber museum of the Green Vault has always been an international collection. In addition to numerous sections from the former Holy Roman Empire of the German Nation which used to include Austria, for many centuries Denmark and England, France and Italy, Poland and Russia also added to the treasures assembled in this museum by August the Strong. The inherited and purchased principal works of European art and culture were united by this Saxon-Polish elector-king from 1723 to 1730 in the rooms of the Green Vault. Since then the collection has been open to Dresden's visitors interested in art and has represented the cultural and material wealth of this residential town with its rich traditions. The Green Vault has become a unique testimony to European art, not only through its masterpieces from the Renaissance and Baroque periods or the abundance of its jewellery. As a Baroque work of museum art it provided a major contribution to the cultural history of the Occident. The interior rooms of the Green Vault in the Dresden castle, which could no longer be used as a gallery after the Second World War, will be restored to their old glamour in 2006. In 2004 the New Green Vault already confirmed this lofty claim. This book stems from the desire to familiarize not only visitors from the German-speaking countries but also those from English and French speaking areas with the Green Vault. It is intended to facilitate a visual circular tour of their common cultural inheritance.

Dresden, February 2005
Dirk Syndram

Le musée du trésor public saxon de la Voûte Verte fut de tous temps une collection internationale. En effet en plus des nombreux territoires appartenant à l'ancien Saint Empire Romain Germanique, dont l'Autriche faisait également partie, le Danemark, l'Angleterre, la France et l'Italie, la Pologne et la Russie ont contribué au cours des siècles aux trésors qu'Auguste, dit le Fort, rassembla dans un musée. Les œuvres principales de l'art et de la culture européens héritées et acquises par lui, furent réunies par l'électeur roi saxo-polonais au cours des années 1723 à 1730, dans les locaux de la Voûte Verte. Cette collection fut ouverte depuis lors aux visiteurs de Dresde intéressés par l'art et représenta la richesse culturelle et matérielle de cette résidence riche en traditions. Ce ne sont pas seulement ses chef-d'œuvres de la renaissance et du baroque ou l'abondance de bijoux qui firent de la Voûte Verte un témoignage unique de l'art européen mais c'est également en tant que musée d'art baroque qu'il apporta une importante contribution à l'histoire de la civilisation occidentale. L'intérieur de la Voûte Verte du château de Dresde, qu'on ne pouvait plus utiliser comme musée depuis la seconde guerre mondiale, retrouvera en 2006 son ancien éclat. La nouvelle Voûte Verte confirme déjà depuis septembre 2004 cette haute exigence. Ce livre a été écrit dans l'intention de familiariser non seulement les visiteurs de langue allemande, mais aussi ceux de langue anglaise et française avec les trésors de la Voûte Verte. Il est censé leur faciliter, pour ainsi dire, un circuit visuel à travers leur héritage culturel commun.

Dresde, février 2005
Dirk Syndram

Zur Geschichte des Museums

About the History of the Museum
Histoire du musée

Das Entstehen des Grünen Gewölbes zu Dresden ist letztlich eine Folge der Ernennung des Herzogs Moritz aus der Albertinischen Linie der Wettiner zum Kurfürsten im Jahre 1547. Gleich nachdem Moritz die hohen Ehren und bedeutenden Rechte eines Kurfürsten für sich und seine Nachfolger errungen hatte, ließ er im Westen seines Residenzschlosses einen prächtigen, standesgemäßen Flügel anfügen. Vier der neu geschaffenen Räume in dessen Erdgeschoß erhielten prunkvolle Decken, ihre Bauglieder, Kapitelle wie Säulenbasen, wurden lindgrün bemalt. Beides gab diesen verschieden großen Räumen bald schon den eingängigen, bis heute beliebten Namen Grünes Gewölbe. Offiziell hieß die durch meterdicke Mauern, eiserne Fensterläden und Türen vor Brand und Einbruch besonders geschützte Raumfolge allerdings »Geheime Verwahrung«.

Kurfürst Christian I., der Neffe von Moritz und Sohn des wirtschaftspolitisch wie diplomatisch besonders erfolgreichen Kurfürsten August, war der erste, der diesen Schloßbereich als geheime Schatzkammer benutzte. Bis weit in die Regierungszeit Augusts des

Blick auf das Deckengewölbe im Pretiosensaal mit Resten der grünen Wandfarbe aus dem 16. Jahrhundert, die dem Grünen Gewölbe seinen Namen gab.

View of the vaulted ceiling in the precious hall (Pretiosensaal) with remains of the green wall paint from the 16th century which gave the Green Vault its name.

Vue sur le plafond de la voûte dans la salle aux objets précieux (Pretiosensaal) avec traces de peinture verte sur le mur, datant du 16ième siècle, qui donna son nom à la Voûte Verte.

The creation of the Green Vault in Dresden is basically the result of the nomination of Duke Moritz from the Albertine branch of the Wettin dynasty to the rank of elector in 1547. Immediately after Moritz had secured the great honours and important privileges of an elector for himself and his successors, he ordered a splendid wing befitting his high rank to be added to the western part of his residential castle. Four of the newly created rooms on its ground floor were adorned with splendid ceilings and its segments capitals as well as pillar bases were painted lime green. This colouration soon gave the rooms of different sizes the moniker Green Vault, a name which has remained popular to the present day. The official name of the suite of rooms, which was protected against fire and robbery by meter-thick walls, iron shutters and doors, was »Secret Custody« (»Geheime Verwahrung«). Elector Christian I, the nephew of Moritz and son of the Elector August who excelled both in economic politics and diplomacy, was the first to use this castle section as a secret treasure chamber. Until far into the rule of August the Strong the riches of the land were kept here: minted and unminted precious metals, important documents, gems and works of art of great material value. At that time Saxony was an affluent land with abundant silver veins, an advanced mining industry, highly productive guilds of craftsmen and successful merchant towns. Thus the Green Vault, the treasure chamber of the Secret Custody in the residential castle, was always filled to the brim. After the death of Elector August and over the next forty years three Electors ruled in Saxony who were all very interested in art. The first successor, Christian I, had inherited his mother Anna's fondness for ostentatious goldsmith works and passed his preference on to both his sons, Christian II and Johann Georg I. As befitting their high rank in the realm the three Elec-

La Voûte Verte de Dresde fut créée à la suite de la nomination du duc Maurice de la ligne Albertine des Wettins au titre de prince électeur en l'an 1547. Dès qu'il eut conquis les droits et les honneurs considérables revenant à un prince électeur pour lui et ses successeurs, Maurice fit apposer dans la partie ouest de son château une aile somptueuse, digne de son rang. A quatre des nouvelles salles du rez-de-chaussée furent attribuées de magnifiques solives, chapiteaux et bases des colonnes furent peints en vert. Très bientôt on donna le nom tenace de Voûte Verte à ces salles de grandeurs diverses, nom resté jusqu'à aujourd'hui populaire. De par ses murs épais de plusieurs mètres, ses volets et portes de fer, qui étaient censés la protéger du feu et du vol, on la nommait officiellement »Geheime Verwahrung« (garde secrète).

Le prince-électeur Christian Ier, le neveu de Maurice et le fils du prince-électeur Auguste, dont l'activité politique, économique et diplomatique fut particulièrement fructueuse, fut le premier à utiliser cette partie du château comme chambre secrète du trésor public. Et c'est jusqu'au règne avancé d'Auguste le Fort qu'on y tint en lieu sûr les objets précieux du pays: métaux précieux, monnayés et non monnayés, documents importants, joyaux et objets d'art d'une valeur matérielle élevée. La Saxe était jadis un pays très riche : des mines d'argent abondantes, l'activité de son industrie minière très développée, sans compter la productivité des corporations d'artisans et la prospérité des villes commerçantes. C'est pourquoi la Voûte Verte, nommée alors trésor public de la salle des gardes secrètes, était toujours bien remplie.

Trois princes électeurs très intéressés par l'art régnèrent sur la Saxe plus de quarante ans après la mort du prince-électeur Auguste. Son successeur Christian Ier avait hérité de sa mère un goût prononcé pour les travaux d'orfèvrerie somptueux et légua ce penchant à ses deux fils Christian II et Johann Georg Ier. Les trois princes-électeurs augmen-

Starken hinein verwahrte man dann dort die Kostbarkeiten des Landes: gemünztes und ungemünztes Edelmetall, wichtige Dokumente, Kleinodien und Kunstwerke von hohem materiellen Wert. Sachsen war damals ein sehr reiches Land mit ergiebigen Silberadern, einer fortgeschrittenen Montanindustrie, sehr produktiven Handwerkerzünften und erfolgreichen Handelsstädten. Die Grünes Gewölbe genannte Schatzkammer der Geheimen Verwahrung im Residenzschloß war deshalb immer gut gefüllt. Nach dem Tode des Kurfürsten August herrschten über vierzig Jahre drei sehr kunstinteressierte Kurfürsten in Sachsen. Sein Nachfolger Christian I. hatte von seiner Mutter Anna die Vorliebe für prunkvolle Goldschmiedearbeiten geerbt und gab seine Neigung an seine beiden Söhne Christian II. und Johann Georg I. weiter. Die drei Kurfürsten erweiterten, ihrem hohen Rang im Reich entsprechend, den Bestand der wettinischen Kunst- und Silberkammer um zahlreiche herausragende Werke der Goldschmiedekunst.

Unter dem Kurfürsten Friedrich-August I., der seit 1694 Sachsen regierte und sich 1697 unter dem Namen August II. zum polnischen König wählen ließ, änderte sich die Nutzung des Grünen Gewölbes vollständig. Aus der Geheimen Verwahrung wurde eines der ersten öffentlich zugänglichen Museen Europas. Der Kurfürst-König, bis heute als August der Starke wohl bekannt, entschloß sich im letzten Jahrzehnt seiner langen Herrschaft über Sachsen und Polen, in den Räumen seiner Schatzkammer ein Museum einzurichten. Hier konnte er alles das prunkvoll präsentieren, was er aus den Bereichen der Silber- und Goldschmiedekunst, der Elfenbein- und Bernsteinbearbeitung, der Bronzeplastik oder des Steinschnittes geerbt hatte oder von seinen Hofkünstlern hat schaffen lassen. In acht Räumen, die nach seinem gestaltenden Willen durch das Oberbauamt unter Leitung des Zwingerbaumeisters Matthäus Daniel Pöppelmann ausgestattet wurden, versammelte er seine Kunstschätze. Zwischen 1723 und 1730 entstand in zwei Bauphasen ein einzigartiges museales Gesamtkunstwerk des deutschen Barock, das in seiner funktionalen Gestaltung für die Museumsgeschichte wegweisend wurde. Nach sei-

Der Große Schloßhof mit dem Eingang zum Grünen Gewölbe vor der Zerstörung im Jahre 1945

The great castle yard with the entrance to the Green Vault prior to its destruction in 1945

La grande cour du château avec entrée de la Voûte Verte, avant la destruction en 1945

tors expanded the inventory of the Wettin art and silver chamber with numerous outstanding works of goldsmith art. Elector Friedrich August I, ruler of Saxony from 1694, was elected king of Poland under the name August II in 1697. During his reign the use of the Green Vault changed completely. The Secret Custody was turned into one of the first museums in Europe which was accessible to the public. The elector-king, who has remained well-known to the present day as August the Strong, decided during the last decade of his long rule over Saxony and Poland to establish a museum in the rooms of the treasure chamber. It provided a splendid framework for the presentation of all the objects of silver and goldsmith art, ivory, amber and stone carving, as well as bronze sculptures which he had inherited or were created by his court artists. He assembled his art objects in eight rooms. Their design was inspired by his creative mind and executed by the superior building authority under the guidance of Matthäus Daniel Pöppelmann, famous as the builder of the Zwinger. In two construction phases a unique overall work of German Baroque was created between 1723 and 1730 to serve as a gallery. Its functional design was groundbreaking for the history of museums. Once it was completed, groups of visitors guided by inspectors were able to admire the treasures openly displayed on tables and pedestals. The circular tour was designed in an almost dramaturgical manner. First was the visit to the room of bronzes (Bronzenzimmer). In front of darkly stained oak walls inlaid with mirrors, precious bronze statuettes from the Renaissance were joined by the collection of contemporary small bronzes consisting of more than 100

tèrent en fonction de leur haut rang dans l'empire, l'effectif du cabinet d'art et d'argent wettine, par de nombreuses œuvres d'orfèvrerie d'une très grande qualité.

Sous le prince-électeur Frédéric Auguste Ier qui régnait sur la Saxe depuis 1694 et qui s'appropria la couronne de Pologne en 1697 sous le nom d'Auguste II, la Voûte Verte changea totalement d'utilisation. La garde secrète devint l'un des premiers musées d'Europe ouvert au public. Le roi-électeur bien connu jusqu'à nos jours sous le nom d'Auguste le Fort, décida dans la deuxième décennie de son règne sur la Saxe et la Pologne, d'aménager un musée dans les locaux de son trésor public. C'est là qu'il put présenter tou-

ner Fertigstellung konnten durch Inspektoren geführte Besuchergruppen die auf Tischen und Konsolen frei aufgestellten Schätze bewundern. Der Rundgang war nahezu dramaturgisch gestaltet.

Man begann die Besichtigung im Bronzenzimmer. Vor dunkel gebeizten Eichenholzwänden, in die Spiegel eingelassen waren, stand neben sehr kostbaren Bronzestatuetten der Renaissance vor allem die mehr als einhundert Einzelfiguren und Gruppen umfassende Sammlung zeitgenössischer Kleinbronzen, die im Auftrag Augusts des Starken in Paris zusammengetragen wurde. In dem folgenden, mit marmorartig lackierten Wänden ausgestatteten Elfenbeinzimmer

individual figurines and groups. It had been assembled in Paris on behalf of August the Strong. Next came the ivory room (Elfenbeinzimmer) adorned with walls lacquered in a marbled fashion which housed the enormous collection of lathed art objects, ivory tankards decorated with reliefs and carved statuettes of the same material. Then the visitors reached the white silver room (Weißsilberzimmer). Before numerous mirrors and vermilion lacquered wall panels they caught sight of the ungilded, modern table silver of the elector-king. The adjoining silver gilded room (Silbervergoldetes Zimmer) served as permanent silver buffet, too, and thus likewise for the presentation of the acquired and

tes les œuvres dont il hérita ou qu'il fit exécuter par les artistes de la cour, ce qu'il y avait de plus fastueux dans les domaines de l'argent et de l'orfèvrerie, le travail de l'ivoire et de l'ambre, du bronze et la taille de la pierre. Accédant à sa volonté, les services de construction, dirigés par l'architecte du château Matthäus Pöppelmann, aménagèrent huit salles, dans lesquelles il rassembla ses trésors d'art. Entre 1723 et 1730 fut construit en deux phases un chef d'œuvre de l'architecture du baroque allemand, dont la forme fonctionnelle s'avéra décisive dans l'histoire des musées. C'est ainsi qu'une fois le musée achevé, les groupes de visiteurs purent, guidés par les surveillants, admirer en toute quiétude les trésors exposés sur

war der enorme Bestand an gedrechselten Kunststücken, mit Relief verzierten Elfenbeinhumpen und aus dem gleichen Material geschnitzten Statuetten zu sehen. Der Besucher gelangte danach in das Weißsilberzimmer. Hier erblickte er vor zahlreichen Spiegeln und zinnoberrot lackierten Wandteilen das unvergoldete moderne Tafelsilber des Kurfürst-Königs. Gleichfalls als permanentes Silberbuffet und damit ebenso zur Präsentation des erworbenen und ererbten Staatsschatzes diente das anschließende Silbervergoldete Zimmer. In diesem Raum standen die aus feuervergoldetem Silber und aus reinem Gold bestehenden Trinkgefäße und Kunstwerke vor grün lackierten, reich verspiegelten Wänden. Der sich allmählich steigernde Prunk des Grünen Gewölbes erreichte im größten Zimmer der Raumfolge, dem Pretiosensaal, einen ersten Höhepunkt. In dem vollständig verspiegelten Saal wurden auf prachtvoll geschnitzten Konsolen und Tischen an der Längswand, sorgsam nach Wandfeldern getrennt, Gefäße aus farbigen Edelsteinen und Bernstein, in vergoldetem Silber gefaßte Nautilus- und Seeschneckengehäuse und ebenso veredelte Straußeneier eindrucksvoll präsentiert. An der gut zehn Meter breiten Schmalseite des Raumes erblickte man dann die ungewöhnlich umfangreiche und besonders kostbare Sammlung von Kunstwerken aus Bergkristall vereint ausgestellt. Ein an den Pretiosensaal anschließendes kleines Kabinett enthielt, auf Konsolen und Wandtischen dicht gedrängt stehend, Hunderte miniaturhafter Figuren und Figurengruppen aus Perlen, Saphiren, Smaragden, Elfenbein und emailliertem Gold. Aus dem Pretiosensaal gelangte der wohl schon etwas erschöpfte Besucher in das Wappenzimmer. Der Raum besaß an drei Wänden eine Folge von Wandschränken, in deren Vertäfelung vierundvierzig kupfergetriebene und vergoldete sächsische Provinzwappen, polnische Staatswappen und Initialschilder der Kurfürsten der Albertinischen Linie eingelassen waren. Der Bauherr dokumentierte an dieser Stelle des Grünen Gewölbes einmal mehr seinen umfassenden Herrschaftsanspruch und die ruhmreiche Vergangenheit des Hauses Wettin. Das Grüne Gewölbe diente August dem Starken nicht allein als Schatzhort der schönen Künste, sondern auch als eindrucksvolle Möglich-

Das Silbervergoldete Zimmer im Jahre 1904

The silver gilded room in 1904

La chambre d'argent doré en 1904

inherited state treasure. This room, with its walls lacquered in green and decorated with numerous mirrors, housed the drinking vessels and art objects of fire-gilded silver and pure gold. The gradually increasing splendour of the green vault reached its first climax in the largest room of the suite, the precious hall (Pretiosensaal). The completely mirrored room provided an impressive presentation of vessels made of coloured precious stones and amber, nautilus and sea snail shells set in silver and similarly enriched ostrich eggs. They were exhibited in separate areas on splendidly carved pedestals and tables along the long wall. On the narrow side of the room, which was more than ten yards wide, the visitor could admire the exceptionally extensive and valuable collection of rock crystal works of art. A small cabinet adjoining the precious hall accommodated hundreds of miniature figurines and groups comprised of pearls, sapphires, emeralds, ivory and enamelled gold which were crowded on pedestals and brackets. From the precious hall the visitors, whose senses must have been fairly exhausted by then, reached the coat of arms room (Wappenzimmer). Three of its walls contained closets whose panels were inlaid with

des tables et des supports. La visite se déroulait presque comme une pièce de théâtre. On commençait la visite par la Bronzezimmer (chambre de bronze). Devant des murs de bois de chêne où l'on avait monté des miroirs et près de très précieuses statuettes en bronze de la Renaissance, se tenait avant tout la collection contemporaine en bronze de plus de cent figures qui avaient été rassemblés à Paris sur l'ordre d'Auguste le Fort. Puis venait la Elfenbeinzimmer (chambre d'ivoire), aux murs marmoréens vernis où l'on pouvait voir une collection très importante de piques d'art façonnées avec soin, avec hanaps d'ivoire ornés de relief et dans le même matériau. Le visiteur accédait ensuite à la Weißsilberzimmer (chambre d'argent blanc). Là, il découvrait devant nombre de miroirs et de murs vernis rouge vermillons l'argenterie moderne et non dorée du roi-électeur. La pièce suivante, la chambre argentée, servait à la fois en permanence de crédence et à exposer le trésor d'état acquis et hérité. Dans cette salle étaient exposés des récipients à boisson ainsi que des oeuvres d'art en argent doré et en or pur devant des murs peints en vert et richement ornés de miroirs. Le faste montant de la Voûte Verte parvenait à son apogée dans la chambre la plus vaste selon l'ordre des pièces, la Pretiosensaal (salle aux objets précieux). Dans cette salle entièrement ornée de miroirs étaient présentés sur de magnifiques consoles et tables sculptées, le long du mur latéral, des récipients de pierres précieuses colorées et d'ambre, des nautiles et des coquillages sertis dans de l'argent doré ainsi que des

keit fürstlicher Selbstdarstellung sowie als augenfälliger Beweis der finanziellen und künstlerisch-handwerklichen Leistungsfähigkeit Sachsens. Dieses belegt vor allem auch der letzte Akt der barocken Rauminszenierung, das Juwelenzimmer. Hier war der Höhepunkt der Ausstattungspracht erreicht. Die in dem mittelgroßen Raum zusammengestellten Schatzkammerstücke blieben in Europa unübertroffen. Neben den vielfältigen, aus kostbarsten Materialien bestehenden Kunstwerken Johann Melchior Dinglingers, des bedeutendsten deutschen Juweliers im 18. Jahrhundert, barg der Ausstellungsraum vor allem die Kronjuwelen des sächsisch-polnischen Herrscherhauses. In vier großen Vitrinen lag der üppige Juwelenschatz: goldene Anhänger, Ketten und Ringe, das Kurschwert, edelsteinbesetzte Paradedegen und vor allem die berühmten Juwelengarnituren Augusts des Starken. Obwohl über mehrere Generationen an den prächtigen Schmuckensembles barocker Fürstenmacht Veränderungen vorgenommen wurden, haben sich bis heute neun Garnituren erhalten. Die Raumhülle des Juwelenzimmers wurde den ausgestellten Kostbarkeiten entsprechend prunkvoll gestaltet. So waren alle Wand- und Sockelflächen ringsum verspiegelt und mit Ornamentfeldern

forty-four copper-studded or gilded Saxon provincial coats of arms, Polish state coats of arms and signs bearing the initials of the electors of the Albertine branch. At this spot in the Green Vault its creator once more documented his claim to total rule and the splendid past of the Wettin dynasty. The Green Vault served August the Strong not only as a treasury of fine arts but also as an impressive opportunity for princely self-presentation as well as obvious evidence of Saxony's achievements in finances, arts and crafts. This was proven especially by the final scene of Baroque room design, the jewellery room (Juwelenzimmer). Here the climax of decorative splendour was reached. The treasury objects assembled in this room of medium size have remained unsurpassed in Europe. In addition to the art objects made of numerous highly precious materials by Johann Melchior Dinglinger, the most important German jewellery maker of the 18th century, the exhibition room displayed

Der Pretiosensaal nach 1913

The precious hall after 1913

La salle aux objets précieux après 1913

œufs d'autruche ouvragés. On pouvait découvrir sur le côté le plus étroit de la salle de dix mètres de large à peu près, la collection inhabituellement volumineuse et particulièrement précieuse d'œuvres d'art en cristal de roche. Un petit cabinet attenant à la suite de la salle aux objets précieux, contenait, serrées les unes contre les autres sur des consoles et des tables, des figurines miniatures isolées et aussi des figurines regroupées faites à partir de perles, saphirs, émeraudes, ivoire et or émaillé. En sortant de la salle aux objets précieux, le visiteur fourbu après qu'on eut mis ses sens à l'épreuve, arrivait dans la Wappenzimmer (la salle d'armoiries). La pièce possédait le long de trois de ses murs une suite de placards dont les lambris portaient cuivrés et dorés, quarante-quatre écussons de provinces saxonnes, polonaises et autres aux initiales du prince-électeur de la ligne Albertine. La Voûte Verte ne servait pas uniquement à Auguste le Fort de lieu d'exposition du trésor des beaux-arts, mais représentait aussi pour l'électeur l'impressionnante possibilité de s'exposer et de donner la preuve de la capacité financière et artistique de la Saxe. Ce que nous prouve avant tout le dernier acte de cette mise en scène baroque, la Juwelenzimmer (la chambre aux joyaux). Ici on parvenait au comble de la magnificence. Auprès des diverses

von Goldgravur auf blauem und karminrotem Grund eingefaßt. Dieser prunkvollste Raum des augusteischen Museums Grünes Gewölbe fiel ebenso wie das angrenzende Bronzen- und das Wappenzimmer dem Bombenangriff am 13. Februar 1945 zum Opfer. Die anderen fünf Ausstellungsräume der unvergleichbaren Sammlung sowie nahezu alle beweglichen Kunstwerke überstanden unbeschadet die Schrecken des Zweiten Weltkrieges. Bis zu diesem folgenreichen Eingriff in das Museumsgefüge hatte sich das Grüne Gewölbe Augusts des Starken weitgehend unverändert über die ersten zwei Jahrhunderte seines Bestehens erhalten. Erst 1913 wurden die Ausstellungsräume wegen des zunehmenden Besucherstromes mit damals neuester Technik, einer Fußbodenheizung und elektrischem Licht, modernisiert und die Ausstellungsfläche merklich vergrößert. Ansonsten blieb der barocke Rahmen aber weitgehend erhalten. Im Jahre 1942 konnte man das traditionsreiche Grüne Gewölbe ein letztes Mal an seinem ursprünglichen Ort besuchen. Danach brachte man seine Schätze auf die Feste Königstein im Elbsandsteingebirge, wo sie 1945 von Spezialeinheiten der Roten Armee beschlagnahmt und in die Sowjetunion abtransportiert wurden. Von dort kehrte der künstlerische Staatsschatz Sachsens 1958 nach Dresden zurück. Gut ein Drittel des vorhandenen Bestandes dieses reichsten Schatzkammermuseums Europas war von 1974 bis 2004 in vier Räumen des Albertinums zu sehen. Dann begann die Rückkehr der glanzvollen Bestände an ihren ursprünglichen Aufbewahrungsort im Residenzschloß. Im September 2004 eröffnete das Neue Grüne Gewölbe im ersten Stock des Westflügels. Zwei Jahre später werden die historischen Räume im darunter liegenden Erdgeschoß folgen.

Das Juwelenzimmer vor 1942

The jewellery room before 1942

La chambre aux joyaux avant 1942

primarily the crown jewels of the Saxon-Polish rulers. Four large showcases contained the abundant jewels: golden pendants, chains and rings, the elector's cutlass, parade swords set with precious stones and, above all, the famous jewellery sets of August the Strong. Although changes were made in the splendid jewellery ensembles of Baroque princely power over several generations, nine sets have been preserved to the present day. The interior design of the jewellery room was befitting to the splendour of the treasures on exhibition. All wall and pedestal areas were mirrored and surrounded by ornamentation with golden engravings on a blue and crimson background. This most splendid room of August's Green Vault museum as well as the adjoining room of bronzes and the coats of arms room fell victim to the bombing of February 13, 1945. The other five exhibition rooms of the incomparable collection and almost all transportable works of art survived the terrors of the Second World War without damage. Until this consequential intervention into the museum the Green Vault of August the Strong had been preserved without any major changes over the first two centuries of its existence. Only in 1913 were the exhibition rooms modernized according to the technology of that time - floor heating and electric light - and considerably increased in size in order to accommodate the growing number of visitors. Otherwise, the museum's Baroque framework remained essentially unaltered. In 1942 the Green Vault with its rich traditions could be visited at its original site for the last time. Then its treasures were transported to Königstein fortress in the Elbe Sandstone Mountains where they were seized by special units of the Red Army in 1945 and taken to the Soviet Union. From there Saxony's artistic state treasures returned to Dresden in 1958. Between 1974 and 2004 a good third of the existing inventory of the richest treasure chamber museum in Europe could be viewed in four rooms of the Albertinum. Then the return of the splendid collection to its original place of keeping in the residential palace began. In September 2004 the New Green Vault opened on the first floor of the west wing. The historical rooms on the ground floor below will follow two years later.

œuvres d'art composées de matériaux précieux et exécutées par Johann Melchior Dinglinger, le joaillier allemand le plus représentatif du 18ième siècle, la salle d'exposition renfermait avant tout les joyaux de la couronne de la dynastie saxo-polonaise régnante. Dans quatre grandes vitrines, était exposé un somptueux trésor de joaillerie: pendentifs en or, chaînes et bagues, le glaive électoral, épées de parades incrustées de pierres précieuses, et surtout les parures de joyaux d'Auguste le Fort. Bien qu'on ait au fil de plusieurs générations opéré des changements sur l'ensemble somptueux des bijoux datant de l'électorat baroque, neuf des parures ont été jusqu'à présent conservées. L'architecture de la chambre aux joyaux fut aménagée en fonction de la grande valeur des objets exposés. Ainsi, toute la surface des murs et des socles fut entourée de miroirs et encadrée d'ornement avec des gravures dorées sur fond bleu et carmin. Cette salle la plus magnifique du musée augustin de la Voûte Verte fut tout comme la salle des bronzes avoisinante et la salle d'armoiries, victime du bombardement du 13 février 1945. Jusqu'à cette attaque lourde de conséquences sur cette aile du musée, la Voûte Verte d'Auguste le Fort était parvenue à se conserver inchangée durant les deux premiers siècles de son existence. C'est seulement en 1913, devant l'afflux de visiteurs, que l'on modernisa les salles d'exposition en les munissant, jadis technique nouvelle, de chauffage au sol et de lumière électrique et qu'on agrandit l'espace d'exposition. On pouvait en 1942, visiter une dernière fois, la Voûte Verte riche en traditions, sur son lieu d'origine. Ensuite on transporta ses trésors à la forteresse de Königstein située dans le Elbsandsteingebirge où ils furent saisis par les unités spéciales de l'armée rouge et transportés en Union Soviétique. C'est de là que fut renvoyé le trésor artistique de l'état saxon à Dresde en 1958. On pouvait voir de 1974 à 2004 un bon tiers du fond disponible du musée du trésor public le plus riche d'Europe dans quatre salles de l'Albertinum. Commença alors le retour des fonds éblouissants dans leur lieu de conservation d'origine : dans le château résidentiel. La nouvelle Voûte Verte fut ouverte en septembre 2004 au premier étage de l'aile Ouest. Les salles historiques se trouvant au sous sol suivront deux ans plus tard.

Die Zusammensetzung der Sammlung

The Formation of the Collection

Composition de la collection

Der sächsisch-polnische Kurfürst-König entnahm die für sein neues Schatzkammermuseum bestimmten Ausstellungsgegenstände vor allem der um 1560 durch Kurfürst August begründeten Kunstkammer. Als weitere Quellen dienten ihm die Silberkammer, die Salons und Galerien des Schlosses sowie der alte kurfürstliche Tresorraum selbst, der damals noch offiziell Geheime Verwahrung hieß. Die von August dem Starken sorgfältig zusammengestellte Sammlung bildet bis heute den prägenden Hauptbestand des Grünen Gewölbes. Die Nachfolger dieses großen fürstlichen Mäzens haben dann nur noch den besonders kostbaren Juwelenbestand des Grünen Gewölbes vermehrt und einige wenige Schatzkammerstücke in das Museum überwiesen. Manches Kunstwerk der augusteischen Sammlung verließ später als fürstliches Geschenk das Grüne Gewölbe, mehr noch ist aber den Kriegen und Wirrnissen des 18. Jahrhunderts zum Opfer gefallen. So wurden 1772 über 620 Gefäße und Skulpturen aus unvergoldetem und vergoldetem Silber sowie aus purem Gold, Schätze, die das Weißsilber- und das Silbervergoldete Zimmer füllten, eingeschmolzen und vermünzt. Nach der Auflösung der Kunstkammer im Jahre 1832 kamen im Laufe des 19. und frühen 20. Jahrhunderts Hunderte von Kunstwerken in das Museum, die sich nur schwer in dessen ursprüngliches barockes Gesamtkonzept integrieren ließen. Dazu gehört auch der zahlenmäßig kleine, jedoch ungewöhnlich qualitätvolle Bestand an mittelalterlichen Kunstwerken.

Den letzten großen Verlust erlitt der Anteil des Grünen Gewölbes 1924 mit der Fürstenabfindung des Hauses Wettin, den Zweiten Weltkrieg überstanden die insgesamt gut 4000 Kunstwerke weitgehend unbeschadet.

The Saxon-Polish elector-king took the exhibition objects for his new treasure chamber museum primarily from the art chamber founded by Elector August in 1560. Other sources were the silver chamber, the salons and galleries of the castle as well as the old treasury room of the electors which at that time still bore the official name Secret Custody (Geheime Verwahrung). The collection, carefully assembled by August the Strong, has formed the most significant inventory of the Green Vault up to the present day. The successors of this great princely patron of the arts only augmented the most precious jewellery of the Green Vault and transferred a few pieces to the museum. Many an art object of August's collection later left the Green Vault as princely gift and even more pieces fell victim to the wars and turmoil of the 18th century. In 1772 more than 620 vessels and sculptures of ungilded and gilded silver as well as of pure gold – treasures which had filled the white silver and silver gilded rooms – were melted and minted. In the course of the 19th and early 20th centuries, subsequent to the dissolution of the art chamber in 1832, hundreds of art objects came into the museum which were difficult to integrate into the original Baroque overall design. Among them were Medieval artifacts which were few in number but exceptionally high in quality. The Green Vault suffered its last major blow in 1924 due to the princely compensation of the Wettin dynasty. The total number of roughly 4000 art objects survived the Second World War without significant damage.

Le roi-électeur saxo-polonais préleva les objets d'exposition prévus pour son nouveau musée surtout auprès du musée du trésor public fondé par le prince-électeur Auguste vers 1560. D'autres proviennent de la chambre d'argent, des salons et galeries du château tout comme la salle du trésor électoral elle-même, qu'on nommait jadis encore officiellement »chambre secrète de garde« (Geheime Verwahrung). La collection rassemblée avec soin par Auguste le Fort constitue jusqu'à nos jours le fond principal dominant de la Voûte Verte. Les successeurs de ce grand prince mécène n'ont fait que multiplier l'effectif de ces joyaux particulièrement précieux et transmettre quelques pièces du trésor au musée. Bien des œuvres d'art de la collection augustine quittèrent la Voûte Verte pour être données en présents, mais bien plus encore furent victimes des guerres et des troubles du 18ième siècle. C'est ainsi qu'en 1772, plus de 620 récipients et sculptures d'argent non dorés et dorés, trésors qui emplissaient les chambres d'argent et d'argent doré, furent fondus et monnayés. Après la dissolution du cabinet des arts en 1832, des centaines d'œuvres d'art qu'on ne pouvait que difficilement intégrer au concept général baroque original, parvinrent au musée au cours du l9ième et 20ième siècle. Il faut y ajouter la part, certes moins importante en quantité mais d'une qualité exceptionnelle, d'œuvres médiévales. La Voûte Verte subit en 1924 une dernière grande perte lors de l'accord princier de la maison Wettine, en tout 4000 œuvres d'art survécurent à la deuxième guerre mondiale sans dommage.

Drei orientalische Reiter beim Polo-spiel und die höfische Jagd auf Reiher im Schilfdickicht zeigen zwei um 1300 im Nahen Osten mit leuchtenden Schmelzfarben bemalte Glasbecher. Mehr als ein Jahrhundert nach ihrer Entstehung wurden sie in einer deut-schen Werkstatt in Silber gefaßt. Die zerbrechlichen Zeugnisse des aristo-kratischen Lebensgefühls der damali-gen islamischen Welt bezaubern Betrachter heute noch ebenso sehr wie ihre Besitzer im Mittelalter.

Two glass jugs painted with brilliant enamel colours in the Middle East around 1300 depict three Oriental horsemen playing polo and a courtly hunting scene of herons in thick reed. More than one century after their creation they were set in precious silver in a German shop. These fragile witnesses to the aristocratic lifestyle of the Islamic world of that time enchant contemporary observers as much as they did their proud owners in the Middle Ages.

Trois cavaliers orientaux jouant au polo et la chasse à la cour aux hérons dans des taillis de roseaux, sont repré-sentés sur deux gobelets de verre du Moyen-Orient datant de 1300 environ et peints de couleurs vitrifiées et bril-lantes. Plus d'un siècle après leur réali-sation ils furent soigneusement sertis d'argent dans un atelier allemand. Les preuves fragiles de la vigueur de l'aris-tocratie du monde islamique d'autre-fois ravissent tout autant le visiteur d'aujourd'hui que leurs propriétaires du moyen-âge.

In Venedig, dem europäischen Tor zu
den märchenhaften Schätzen des Ori-
ents, entstand im 13. Jahrhundert der
hohe Deckelpokal aus Bergkristall.
Das seltene, wasserklare Material, dem
magische Kräfte zugeschrieben wurden, versah man mit einer reichen sil-
bervergoldeten Fassung. Dieses wohl
weltlichen Besitzern dienende Luxus-
gefäß belegt die ausgereifte Kunst der
venezianischen Steinschneider, die
damals für ihre Bergkristallarbeiten
berühmt waren.

This tall lidded goblet of rock crystal
originated in the 13th century in
Venice, the European gateway to the
fairy tale treasures of the Orient. The
rare crystal-clear material was believed
to possess magical powers. The goblet
was given a rich silver gilded setting.
This luxurious vessel, which probably
served secular owners, gives witness to
the advanced art of the Venetian sto-
necutters who were then famous for
their rock crystal creations.

A Venise, porte européenne des trésors
d'orient dignes de contes de fées, fut
travaillé au 13ième siècle la haute
coupe à couvercle en cristal de roche.
Cette matière cristalline rare et lim-
pide, à laquelle on attribuait des forces
magiques, fut munie d'une riche monture en argent doré. Ce récipient de
luxe domestique appartenant à des laï-
ques atteste la plénitude de l'art des
tailleurs de pierre vénitiens qui étaient
jadis célèbres pour leur façonnage de
cristal de roche.

Ebenfalls aus dem schwer zu bearbeitenden Bergkristall schnitt man im 14. Jahrhundert in Frankreich die beiden abgebildeten Trinkschalen mit Deckeln. Das höhere, mit einem Kronreif versehene Gefäß erhielt seine kunstvolle Fassung allerdings etwas später in der Krakauer Hofwerkstatt. Es sollte der jung verstorbenen polnischen Königin Hedwig als Geschenk dargebracht werden. Das prachtvolle Beispiel polnischer Goldschmiedekunst des ausgehenden Mittelalters gelangte auf unbekanntem Wege in den Besitz der sächsischen Herzöge.

The two drinking bowls with lids were also cut from the difficult rock crystal material in France in the 14th century. The taller vessel, adorned with a crown, received its artistic setting somewhat later from a Krakow court artisan. It was intended to serve as a gift for the Polish Queen Hedwig who died at a young age. It is not known how this splendid example of Polish goldsmith art of the late Middle Ages came into the possession of the Saxon dukes.

C'est dans ce même cristal de roche difficile à travailler qu'on tailla au l4ième siècle en France, les deux coupes illustrées avec couvercles. La plus haute des coupes, encerclée d'une couronne dentelée reçut sa monture dans l'atelier de la cour de Cracovie. On devait l'offrir à la jeune reine polonaise tôt disparue, Hedwige. Les ducs saxons entrèrent d'une façon inconnue en possession de ce fastueux modèle d'orfèvrerie polonaise du Moyen-Âge finissant.

Aus einem typisch sächsischen Mineral, dem Serpentin, besteht die um 1480 wohl in Süddeutschland durch eine silbervergoldete Fassung veredelte Trinkschale. Auch auf ihrem Deckel prangt eine Krone als Zeichen der hohen weltlichen Würde ihres einstigen Besitzers. Die flache, gefußte Schale ist eines der ältesten erhaltenen Werke aus Serpentin. Diesem an Schlangenhaut erinnernden Material sprach man die Fähigkeit zu, Gift in Getränken anzuzeigen.

The drinking vessel was made of serpentine, a typical Saxon mineral. Around 1480 it was enriched by a silver gilded setting, probably in southern Germany. Its lid is also topped proudly with a crown, the symbol of the high secular rank of its former owner. The flat footed bowl is one of the earliest works of serpentine that have been preserved. This material, which is reminiscent of snakeskin, was believed to detect poison in drinks.

La coupe d'Allemagne du sud datant environ de 1480, sertie d'argent doré, est travaillée à partir d'un minéral typiquement saxon, la serpentine. Une couronne brille aussi sur son couvercle en référence à la haute dignité de son propriétaire n'appartenant pas au clergé. Cette coupe à pied plate est l'une des œuvres les plus anciennes en serpentine. On attribuait à ce matériau, rappelant la peau de serpent, la faculté de mettre en évidence les boissons empoisonnées.

Die in ihrer Entstehungszeit Greifen-
klauen genannten Trinkhörner vertre-
ten einen anderen uralten Gefäßtyp.
Nur noch wenige Zeugnisse dieser
beliebten Trinkgefäße aus Büffelhorn
haben sich erhalten. Die acht im
Grünen Gewölbe bewahrten Greifen-
klauen des späten 14. und frühen
15. Jahrhunderts könnten noch aus
dem mittelalterlichen Silberschatz der
Herzöge des Hauses Wettin stammen,
das vom 12. Jahrhundert bis 1918 das
silberreiche Sachsen regierte.

The drinking horns, named griffin
claws during their time of origin,
represent another type of ancient
vessel. Only few examples of these
popular drinking vessels made of
buffalo horn have been preserved. The
eight griffin claws of the late 14th and
early 15th centuries which have been
preserved in the Green Vault may have
belonged to the Medieval silver
treasury of the dukes of Wettin who
ruled over Saxony with its abundance
of silver from the 12th century to
1918.

Les cornes à boisson qu'on nommait
au temps de leur réalisation »griffes de
sabot«, représentent un autre type de
récipients anciens. Fort peu de ces
récipients à boisson en corne de buffle
furent conservés. Les huit »griffes de
sabot« gardées dans la Voûte Verte et
datant de la fin du 14ième et du début
du 15ième siècle, pourraient provenir
du trésor d'argent médiéval des ducs
de la maison Wettine qui régnèrent
sur la Saxe, pays riche en argent du
12ième siècle jusqu'en 1918.

Um 1530 erhielt die Rosenwasser-garnitur wohl in Nürnberg ihr modisches Maureskenornament. Das mit Perlmutterplättchen sorgfältig belegte Becken und die trotz ihrer europäischen Silberfassung exotisch anmutende Kanne stammen aus Indien. Das Gießgerät veranschaulicht die hohe Qualität des Kunsthandwerks seiner Zeit und den regen kulturellen Austausch zwischen dem exotisch fernen Osten und Europa. Es ist darüber hinaus ein seltenes Beispiel deutscher Goldschmiedekunst der Frührenaissance.

The rosewater set probably received its fashionable Mauresque ornamentation in Nuremberg around 1530. The basin, carefully lined with mother of pearl platelets, and the pitcher, which has an exotic flair despite its European silver setting, come from India. It exemplifies the high quality of handicrafts at that time and the active cultural interchange between the exotic Subcontinent and Europe. It furthermore is a rare example of German goldsmith art of the early Renaissance.

Le nécessaire à eau de rose reçut en 1530 environ, à Nuremberg son ornement mauresque à la mode. Le bassin couvert de petites plaques de nacre et le pot d'une grâce exotique, malgré sa monture d'argent très européenne, proviennent d'Inde. Cet instrument donne une idée de la haute qualité d'art artisanal de son époque et du flot d'échanges culturels entre l'Est exotique de l'Asie et l'Europe. C'est d'ailleurs un exemple rare de l'orfèvrerie allemande de la pré-renaissance.

Um die Mitte des 16. Jahrhunderts entstand im von Kriegen bedrohten österreichisch-ungarischen Raum diese große Henkelflasche. Ihre runden Wandungen sind mit bewegten Schlachtenszenen geschmückt. Auf der einen Seite erkennt man fünf Feldherren bei der Belagerung einer Stadt, auf der anderen galoppiert ein Reiter mit einem Gefangenen an der Stadtmauer vorbei. Das am Hals der mehr als 80 cm hohen Silberflasche angebrachte sächsische Wappen bestätigt, daß dieses überdimensionierte Gefäß schon im alten wettinischen Besitz gewesen ist.

This large bottle with handle originated in the middle of the 16th century in the Austrian-Hungarian region which was endangered by warfare. Its round sides are adorned with turbulent battle scenes. One side depicts five generals occupying a town, the other side shows a horseman with a prisoner galloping along the town wall. At the neck of the more than 31 inch high silver bottle is the Saxon coat of arms. It confirms that this oversized vessel was an old Wettin possession.

Au milieu du 16ième siècle environ, fut créé en Autriche-Hongrie alors menacée par la guerre, cette grande bouteille à anses. Ses parois rondes sont ornées de scènes de batailles. On reconnaît sur l'un des côtés cinq généraux lors du siège d'une ville et de l'autre un chevalier galopant le long de l'enceinte, avec un prisonnier. L'insigne saxon fixé au goulot de cette bouteille en argent mesurant plus de 80 cm de haut, confirme que ce récipient hors de proportions appartenait déjà aux anciens Wettins.

Kurfürst August und die sächsische Kunstkammer

Elector August and the Saxon Art Chamber

Le prince-électeur Auguste et le cabinet saxon des arts

August regierte Sachsen 33 Jahre lang, von 1553 bis 1586. Der diplomatisch wie wirtschaftspolitisch ungewöhnlich befähigte Kurfürst wurde in dieser Zeit zum größten Grundherrn, Bergwerksbesitzer und Unternehmer seines reichen Landes. August begründete gegen 1560 auch die kursächsische Kunstkammer, die er vor allem mit tausenden kunstvollen Handwerksgeräten und Meßinstrumenten füllte. Im 16. und 17. Jahrhundert gab es an vielen europäischen Fürstenhöfen solche universal angelegten Sammlungen. Ihre Konzeption entsprach dem Weltbild der Renaissance, ihre Zusammenstellung und ihr Erscheinungsbild waren allerdings weitgehend von den persönlichen Vorlieben und finanziellen Möglichkeiten der jeweiligen fürstlichen Besitzer abhängig. Gesammelt wurden vor allem seltene, kostbare und wunderliche Gegenstände aus Natur und Kunst sowie aus Wissenschaften und Technik. Kunstkammern dienten der staatlichen Repräsentation und vermochten, die Leistungsfähigkeit des Landes widerzuspiegeln. Dieser Zweck bestimmte auch die Zusammensetzung der fürstlichen Kunstkammer des hochindustrialisierten Sachsen. Seit der Zeit des Kurfürsten August wetteiferte die protestantische Residenz Dresden um die Stellung des prunkvollsten deutschen Fürstenhofes neben dem des Kaisers in Wien und Prag. Anna, die aus dänischem Königshaus stammende Gemahlin des Kurfürsten, galt als eine der elegantesten Damen des Heiligen Römischen Reiches Deutscher Nation. Mit ihrer persönlichen Vorliebe für prächtigen Schmuck und vorzüglich gearbeitete Goldschmiedewerke, die teilweise noch im Grünen Gewölbe zu sehen sind, prägte sie die höfische Kultur in Sachsen wohl ebenso nachhaltig wie ihr von Wissenschaften und Technik faszinierter Gatte.

August ruled Saxony for 33 years from 1553 to 1586. The elector had great diplomatic as well as economic-political skills. During his reign he became the greatest property and mine owner as well as entrepreneur of his rich land. In 1560 August founded the art chamber of the Saxon electors which he filled primarily with thousands of artistic tools and measuring instruments. In the 16th and 17th centuries many European princely courts took pride in such universal collections. Their concept corresponded to the ideas of the Renaissance, but their composition and presentation were largely determined by the personal preferences and financial possibilities of the respective princely owners. Collectors' items were primarily rare, precious and strange objects from nature and art as well as the sciences and technology. Art chambers served for stately presentation and reflected the achievements of the land. This purpose also determined the composition of the princely art chamber of highly industrialized Saxony. Since the time of Elector August the Protestant residence of Dresden had competed for the position of the most splendid German princely court alongside those of the Emperor in Vienna and Prague. Anna, the elector's wife who was of Danish royal descent, was considered to be one of the most elegant ladies of the Holy Roman Empire of the German Nation. With her personal preference for splendid jewellery and outstanding goldsmith work - some of which can still be seen in the Green Vault – she put her mark on Saxony's court culture to the same extent as her husband who was fascinated by sciences and technology.

Auguste régna sur la Saxe, 33 années durant, de 1553 jusqu'en 1586. Ce prince électeur doté d'un talent inhabituel en économie, politique et diplomatie devint à cette époque le plus grand seigneur, propriétaire de mines et industriel de son riche pays. Auguste fonda autour de 1560 le trésor public électoral saxon, qu'il remplit surtout de milliers d'outils d'art artisanal et d'instruments de mesure. On trouvait aux 16ième et 17ième siècles de telles collections universelles dans de nombreuses cours d'Europe. Leur conception répondait à la vision du monde de la renaissance, leur composition et leur apparence dépendaient largement des préférences personnelles et possibilités financières du propriétaire électeur d'alors. On collectionna surtout des objets rares et précieux de la nature et de l'art ainsi que de la science et la technique. Les cabinets d'art servaient à la représentation de l'état et tentaient de refléter la capacité de rendement du pays. C'est aussi ce dessein que poursuivait la composition du cabinet d'art électoral de cette Saxe très industrialisée. La résidence protestante de Dresde rivalisait avec l'empereur de Vienne et de Prague afin d'obtenir la place de la cour électorale la plus fastueuse d'Allemagne. Originaire de la maison royale danoise, Anna, l'épouse du prince-électeur passait pour être l'une des dames les plus élégantes du Saint-Empire Romain-Germanique. De par son inclination pour les bijoux somptueux et les œuvres travaillées d'orfèvrerie qu'on peut encore admirer en partie dans la Voûte Verte, elle marqua de son empreinte la culture de la cour de Saxe de manière toute aussi durable que son époux, fasciné par les sciences et la technique.

Diamanten, Rubine und Smaragde zieren einen goldenen Anhänger, dessen bekröntes Monogramm AA die Initialen von August und Anna vereint. Die kostbare Rückseite eines 1586, im Todesjahr des Kurfürsten August, entstandenen, auf Kupfer gemalten Gedenkbildes nimmt das Staatswappen dieses erfolgreichen sächsischen Herrschers ein. Es gelangte als Geschenk seines Sohnes und Erben Christian I. in die Schatzkammer seiner Gattin Sophie aus dem Hause Brandenburg.

Diamonds, rubies and emeralds adorn a golden pendant whose crowned monogram AA unites the common initial of August and Anna. The commemorative piece of jewellery was created in 1586, the year Elector August died, and is painted on copper. Its precious reverse side is formed by the state coat of arms of this successful Saxon ruler. As a gift from his son and heir Christian I it was kept in the treasure chamber of his spouse Sophie from the Brandenburg dynasty.

Diamants, rubis et émeraude ornent un pendentif en or, au monogramme AA couronné, réunissant les initiales d'Auguste et d'Anna. L'écusson d'Etat de ce seigneur saxon couronné de succès, occupe le précieux verso d'un tableau commémoratif réalisé en 1586, année de la mort du prince électeur Auguste. Cet écusson, dont il fit cadeau à son fils et héritier, Christian Ier intégra la chambre secrète du trésor public, qui l'offrit à son épouse Sophie issue de la maison de Brandebourg.

21

In den letzten Jahrzehnten des 16. Jahrhunderts wurden die Serpentinbrüche bei Zöblitz am Rande des Erzgebirges wiederbelebt. Aus dem relativ weichen, drechselbaren Gestein entstanden Gefäßkörper verschiedenster Art. Der italienische Architekt und Bildhauer Giovanni Noffeni ist wohl der Entwerfer einer Reihe bauchiger Deckelgefäße, die für den kurfürstlichen Haushalt bestimmt waren. Der Dresdner Goldschmied Urban Schneeweiß schuf die noblen Fassungen und gravierte auf dem Deckel das sächsische und dänische Wappen des Eigentümerehepaares.

In the last decades of the 16th century the serpentine quarries at Zöblitz on the edge of the Erzgebirge Mountains were resuscitated. This relatively soft rock which could be turned on the lathe was formed into various types of vessels. The Italian architect and sculptor Giovanni Noffeni is believed to have designed a number of big bellied vessels with lids which were meant for the elector's household. The Dresden goldsmith Urban Schneeweiß created the noble settings and engraved the lids with the Saxon and Danish coats of arms of its owners.

Au cours des dernières décennies du 16ième siècle, on redécouvrit la taille de la serpentine près de Zöblitz dans le Erzgebirge (monts Métallifères). Des récipients divers furent conçus à partir de cette roche relativement tendre. L'architecte et sculpteur italien Giovanni Noffeni est l'auteur d'une série de couvercles bombés de récipients destinés à la maison de l'électeur. L'orfèvre Urban Schneeweiß de Dresde réalisa les nobles montures et grava sur le couvercle les armoiries saxonnes et danoises du couple propriétaire des objets.

Kurfürst August schätzte neben wissenschaftlichen Instrumenten und Handwerkszeugen vor allem auch komplizierte Uhren. Die durch ihn zusammengetragene umfangreiche Sammlung bildete einen Schwerpunkt seiner Kunstkammer. In diesem Zusammenhang entstand auch die ursprünglich von einem Globus bekrönte, turmförmige astronomische Stutzuhr. Die auf allen vier Seiten mit Zifferblättern versehene technische Höchstleistung sächsischer Feinmechanik wurde 1570 von Andreas Schellhorn »zu Schneebergk in Meisen« signiert.

In addition to scientific instruments and tools, Elector August also appreciated complex clocks. The comprehensive collection assembled by him forms a major part of his art chamber. To this interest of his we also owe the tower-shaped astronomical mantelpiece clock which was originally crowned by a globe. All four of its sides are equipped with clock faces. It represents a technical masterpiece of Saxon fine mechanics and was signed in 1570 by Andreas Scheilhorn »at Schneebergk in Meisen«.

Parmi les trésors scientifiques et artisanaux du prince-électeur Auguste, se trouvent avant tout des horloges compliquées. Cette collection variée, rassemblée par lui, représentait un point important du cabinet d'art. C'est dans cet ensemble qu'apparut aussi la pendule de cheminée astrologique en forme de tour qui, à l'origine, était couronnée d'un globe. Cette haute performance technique de construction mécanique saxonne, agrémentée de cadrans, sur les quatre faces, fut signée en 1570 par Andreas Schellhorn »zu Schneebergk in Meisen«.

Wohl der fürstlichen Privatandacht diente der einzigartige, 1577 von Elias Lencker in Nürnberg geschaffene Kalvarienberg. Das Kruzifix, dessen Kreuzbalken aus seltenem Tropenholz besteht, erhebt sich über einem aus Perlmutterschalen und krüppeligen Perlen gebildeten Berg. Diesen bevölkert zwischen silbernen Zweigen kleines Getier. Den Sockel aus Ebenholz umziehen sechs vergoldete Reliefs mit Darstellungen aus der Leidensgeschichte Christi.

The unique calvary created in 1577 by Elias Lencker in Nuremberg is believed to have served for the ruler's private prayer. The crucifix, whose crossbeams are made of rare tropical wood, rises above a mountain of mother of pearl shells and irregular pearls. Small creatures inhabit the silvery twigs. The ebony base is surrounded by six gilded reliefs representing the Passion of Christ.

Le calvaire, unique en son genre, réalisé en 1577 par Elias Lencker à Nuremberg, servit au recueillement du prince-électeur. Le crucifix, dont les poutrelles croisées sont faites en bois tropical rare, se soulève au dessus d'une montagne faite de coquilles de nacre et de perles irrégulières. Celle-ci est peuplée, entre des branches argentées, de petits animaux. Le socle en bois d'ébène est entouré de six reliefs dorés représentant le calvaire du Christ.

Wohl im Auftrag des Kurfürsten August schuf 1562 der Nürnberger Goldschmied Wenzel Jamnitzer die von einer Allegorie der Philosophie bekrönte Prunkkassette. Das Denkmal der Gelehrsamkeit ist ein wahres Kunstkammerstück. Unter allen Kunstwerken des Grünen Gewölbes erscheint die monumentartige Kassette auch heute noch als ein Hauptwerk der Sammlung und als Meisterleistung der deutschen Renaissancekunst. Mittels einer verborgenen Feder läßt sich die vordere Wand des denkmalartigen Sockels abnehmen und enthüllt so die der Aufbewahrung dienenden vier Schubladen.

In 1562 the Nuremberg goldsmith Wenzel Jamnitzer created for Elector August a jewellery box crowned by an allegory of philosophy. The memorial to learnedness is a true gem of the art chamber. Among all of the art objects of the Green Vault the monument-shaped box still forms the center of the collection today and is a masterpiece of German Renaissance art. By means of a hidden spring the front of the base can be removed, thus revealing the four storage drawers.

L'orfèvre de Nuremberg Wenzel Jamnitzer, créa en 1562 sur l'ordre du prince-électeur Auguste, une cassette d'appart couronné d'une allégorie de la philosophie. Ce monument du savoir est une véritable pièce d'art de cabinet. Parmi toutes les œuvres d'art de la Voûte Verte, cette cassette monumentale passe encore de nos jours pour l'une des œuvres principales de la collection et pour une réalisation magistrale de l'art de la renaissance allemande. Au moyen d'une plume cachée on peut déplacer le mur antérieur de ce socle splendide et révéler quatre tiroirs qui servent à conserver le matériel d'écriture.

Die vergnüglich ermahnende Gruppe von Christoph Lindenberger zeigt einen Teufel im Faß, der einen Vielfraß, der die Todsünde der Völlerei begeht, in einer Schubkarre vor sich her schiebt. In den Schatzkammern wie auf den Tafeln fürstlicher Trinkgesellschaften fanden kunstvoll und sinnreich gestaltete Trinkgefäße ihren Platz. Die Vielfalt und die Kostbarkeit der im Grünen Gewölbe bewahrten fantastisch gestalteten und als Trinkgefäße geeigneten Figuren und Figurengruppen entsprachen dem immensen Reichtum und dem hohen gesellschaftlichen Ansehen ihrer kursächsischen Eigentümer.

The pleasantly admonishing group by Christoph Lindenberger depicts a devil in a barrel pushing a glutton committing the mortal sin of excessive indulgence in a wheelbarrow. Artistic drinking vessels with a meaningful design had their firm place both in treasure chambers and on the tables of princely drinking companies. The variety and value of the fantastically designed figurines and figure groups which were used as drinking vessels and have been preserved in the Green Vault reflect the immense wealth and the high social standing of their electoral owners.

L'amusant petit groupe à la brouette de Christophe Lindenberger montre un diable dans un tonneau qui pousse devant lui une brouette occupée par un glouton commettant le pêché mortel de l'ivrognerie. Dans les trésors publics tout comme dans les soirées de l'électeur, ces récipients à boisson façonnés artistiquement et de manière ingénieuse, étaient à leur place. La variété et la valeur de ces figures et groupes de figures façonnées de façon fantastique et désignées pour être des récipients à boisson, gardés dans la Voûte Verte, correspondaient à l'immense fortune et au grand crédit dont jouissait son propriétaire, l'électeur.

Auf die südamerikanische Herkunft der in der zweiten Hälfte des 16. Jahrhunderts in Europa noch seltenen Kokosnuß verweisen die drei in die hartschalige Frucht eingeschnitzten Reliefs mit Szenen aus dem Indianerleben. Diese »indianische« Nuß, von einem süddeutschen Goldschmied zum Prunkgefäß umgestaltet, gehörte ebenso wie Gefäße aus exotischen Nautilus- und Seeschneckengehäusen zum Sammlungsbereich der fürstlichen Kunstkammer. Seltene Naturmaterialien und menschliche Kunstfertigkeit begegnen sich in solchen Werken auf eindrucksvolle Weise.

Three reliefs with scenes from the life of Red Indians curved into a coconut are witness to the South American origin of this fruit which was still rare in Europe during the second half of the 16th century. This »Indian« nut, which a southern German goldsmith turned into a splendid vessel, belonged to the collection of the princely art chamber, as did vessels made of exotic nautilus and sea snail shells. Such objects of art impressively unite rare natural materials with human artistic skills.

Ces trois reliefs taillés dans l'écorce de noix de coco, fruit encore rare dans la seconde partie du 16ième siècle, représentent des scènes de la vie indienne et nous indiquent l'origine sud-américaine de ce fruit. Cette »noix indienne« transformée par un orfèvre du sud de l'Allemagne en un magnifique récipient, appartenait à la collection de l'électeur tout comme les exotiques coquilles de nautiles et d'escargots de mer. Dans de telles œuvres d'art, matières naturelles rares et habileté artistique se rencontrent de manière impressionnante.

Das Bearbeiten von Elfenbein auf einer speziell konstruierten Drehbank war im 16. Jahrhundert an fast allen europäischen Fürstenhöfen sehr beliebt. Die Kurfürsten von Sachsen interessierten sich besonders für diese technisch-ästhetische Kunstübung, die handwerkliche Perfektion und das Wissen um modernste mathematische Berechnungen vorraussetzte.

In the 16th century the treatment of ivory on a specially constructed lathe was very popular at almost all European courts. The electors of Saxony had a particular interest in this technical-aesthetic art which required perfect craftsmanship and the know-how of most up-to-date mathematical calculations.

Le travail de l'ivoire sur un tour spécialement conçu, était très apprécié au 16ième siècle dans presque toutes les cours d'électeurs en Europe. Les princes-électeurs saxons s'intéressaient particulièrement à l'exercice technique et esthétique de cet art qui supposait une perfection artisanale et la connaissance des calculs mathématiques les plus modernes.

Aufwendig getriebene Pokale aus vergoldetem Silber gehörten zum belieb-
testen Tafelschmuck des 16. und
17. Jahrhunderts. Ihre Gefäßkörper
wurden in schwierigster Treibarbeit
als Reihungen von Buckeln oder als
figurenreiche Reliefs gearbeitet. Im
Schein von Kerzen auf Tafeln oder
Schaubüffets führte dies zu einer Ver-
mehrung der Lichtreflexe. Von drei
sächsischen Goldschmieden wurden
diese besonders schönen und großen
Pokale gefertigt.

Splendidly studded goblets of gilded
silver were among the most popular
table decorations of the 16th and 17th
centuries. Their vessel bodies were
designed in difficult studding work as
a series of mounds or as reliefs rich in
figurines. By the light of festive tables
illuminated with candles, or on display
buffets, this design resulted in a brilliant augmentation of light reflection.
These particularly beautiful and tall
goblets were created by three Saxon
goldsmiths.

Les coupes en argent doré artistiquement travaillées, appartiennent aux
ornements les plus appréciés des
16ième et 17ième siècles. Le travail de
leurs formes était accompagné de
séries de bosses et de reliefs riches en
silhouette. Cela produisait une multi-
plication des reflets de lumière de la
lueur des chandelles sur la table ou les
buffets d'exposition. Ces coupes particulièrement belles et grandes furent
produites par trois orfèvres saxons.

Aus dem Gold der von ihm 1563 eroberten Stadt Polozk ließ sich Zar Iwan der Schreckliche in seiner Moskauer Hofwerkstatt die mit Edelsteinen und Perlen üppig verzierte, über zwei Pfund schwere Trinkschale anfertigen. Wann die kostbare Schale in sächsischen Besitz gelangte, ist unbekannt. Sie begleitete August den Starken aber schon 1697 auf seiner Krönungsreise nach Krakau.

Tsar Ivan the Terrible used the gold from the town of Polozk, which he conquered in 1563, for the drinking vessel created in his Moscow court artisan shop. It is lavishly decorated with precious stones and pearls and weighs more than two pounds. When this precious vessel came to be in the possession of Saxony is unknown, but August the Strong already had it with him on his coronation visit to Krakow.

Avec l'or de la ville de Polosk qu'il conquit en 1563, le Tsar Ivan le Terrible fit confectionner dans l'atelier de sa cour moscovite la coupe pesant plus de deux livres, ornée généreusement de pierres précieuses et de perles. La date à laquelle ce précieux récipient entra en possession saxonne n'est pas connue. Elle accompagna déjà Auguste le Fort en 1697 lors de son voyage de couronnement à Cracovie.

Zu den Goldgefäßen, die sich einst-
mals im Besitz des sächsisch-polnischen Kurfürst-Königs befanden und
der Einschmelzaktion von 1772 ent-
rannen, gehören ein Abendmahlskelch
und ein Weinkännchen. Als weitgehend weltliche Schatzkammer besitzt
das Grüne Gewölbe nur wenig Kunstwerke, die einst für den sakralen Gebrauch bestimmt waren. Diese beiden
auch materiell besonders kostbaren
Gegenstände wurden wohl als Erinne-
rungsstücke an die Reformation der
kurfürstlichen Kunstsammlung ein-
verleibt.

The gold vessels which used to be in
the possession of the Saxon-Polish
elector-king and escaped the melting
campaign of 1772 include a Last Sup-
per chalice and a wine pitcher. As a
largely secular treasure chamber the
Green Vault possessed only few art
objects which were intended for sacred
purposes. These two objects of high
material value are believed to have
been incorporated in the electoral art
collection to commemorate the Reformation.

Parmi les récipients en or que possédait autrefois le prince-électeur saxo-
polonais, et qui ont échappé à la fonte
de 1772, on trouve un calice de la
sainte cène et une burette à vin. La
Voûte Verte possède en tant que cabinet d'art dont les biens matériels sont
étendus, peu d'œuvres d'art destinées à
l'usage sacré. Ces deux objets d'une
valeur matérielle également considéra-
ble furent incorporés dans la collection d'art de l'électeur en tant que sou-
venirs de la Réforme.

Die große politische Bedeutung der sächsischen Kurfürsten um 1600 beweisen die zahlreichen Diplomatengeschenke, die Dresden damals erreichten. So schickte der Großherzog der Toskana 1587 anläßlich des Machtantrittes Christian I. als Kurfürst vier der bei fürstlichen Sammlern sehr begehrten Bronzeskulpturen seines weltbekannten Bildhauers Giovanni da Bologna aus Florenz in die sächsische Residenzstadt. Diese Gruppe der von einem Faun begehrlich betrachteten schlafenden Nymphe gehörte zu dieser kleinen Aufmerksamkeit des italienischen Herrschers.

The great political importance of the Saxon electors around 1600 is demonstrated by the great number of diplomatic gifts which arrived in Dresden at that time. In 1587, on the occasion of the accession to power of Prince Elector Christian I as Elector, the Grand-Duke of Tuscany sent four of the bronze works of the world-famous sculptor Giovanni da Bologna, which were in great demand among princely collectors, from Florence to the Saxon residential town. This group depicts a sleeping nymph which is lustfully eyed by a faun and is one of the small courtesies of the Italian ruler.

La grande importance politique du prince électeur en 1600, est prouvée par les nombreux présents diplomatiques qui, jadis, atteignirent Dresde. C'est ainsi que le grand duc de Toscane envoya en 1587 de Florence à Dresde, à l'occasion de l'arrivée au pouvoir de Christian Ier en tant que prince-électeur, quatre sculptures de bronze, très admirées par les collectionneurs princiers, œuvres de son très célèbre sculpteur, Giovanni da Bologna. Ce groupe auquel appartient un faune contemplant avec convoitise une nymphe endormie faisait partie des attentions du souverain italien.

Aus einem einzigen, besonders schön gezeichneten und außergewöhnlich großen Stück Lapislazuli wurde diese Henkelkanne mit glatt geschliffenem Gefäßkörper in der großherzoglichen Werkstatt in Florenz gefertigt. Das klassisch anmutende Prunkgefäß dürfte auf eine Entwurfszeichnung des Bildhauers und Architekten Bernardo Buontalenti zurückgehen, die zwischen 1574 und 1576 datiert werden kann.

This pitcher with a handle and a smoothly ground vessel body was created in the Grand-Duke's artisan shop in Florence. It consists of one single, exceptionally large piece of lapis lazuli with a particularly beautiful pattern. The classic splendid vessel is believed to date back to a design by the sculptor and architect Bernardo Buontalenti and was created between 1574 and 1576.

A partir d'une seule grande pièce de lapis-lazuli aux dessins particulièrement beaux, a été créé ce pot à anses au tronc ciselé et poli, à Florence, dans l'atelier du grand duc. Ce fastueux récipient au charme classique, qui remonte certainement à un croquis du sculpteur et architecte Bernardo Buontalenti, date d'entre 1574 et 1576.

Der Besitz einer umfangreichen Sammlung großer Gefäße aus dem ebenso harten wie spröden Bergkristall galt bis ins 18. Jahrhundert hinein als Zeichen höchsten fürstlichen Reichtums. Im Inventar der Geheimen Verwahrung, der Schatzkammer des Kurfürsten, erscheint 1588 dieser Deckelpokal. Er erhielt wohl in Augsburg seine Fassung aus purem Gold. Die bergkristallene Pokalkuppa entstand allerdings in der badischen Stadt Freiburg im Breisgau, die damals bereits seit Jahrhunderten Zentrum des auf gebrauchsfähige Prunkgefäße spezialisierten Bergkristallschnittes war.

Until the 18th century the possession of a comprehensive collection of large vessels made of the hard and brittle rock crystal was considered a symbol of utmost princely wealth. This lidded goblet appeared in 1588 in the inventory of the Secret Custody, the treasure chamber of the elector. It is believed to have received its pure gold setting in Augsburg. The rock crystal goblet body, however, was created in the Baden town Freiburg in Breisgau which at that time had been the center of rock crystal cutting for splendid functional vessels for centuries.

Etre en possession d'une collection volumineuse de grands récipients en cristal de roche aussi dur que cassant était considéré jusque dans le courant du 18ième siècle comme la marque de la plus grande richesse princière. Dans l'inventaire de la garde secrète, la chambre du trésor, de l'Electeur apparaît en 1588 cette coupe à couvercle. C'est à Augsbourg qu'elle reçut sa monture en or pur. La coupe en cristal de roche est, il est vrai, originaire de Fribourg-en-Brisgau en pays de Bade qui était, déjà à l'époque, depuis des siècles, le centre de fabrication de ces récipients fastueux et utiles en cristal de roche.

Mailand hatte sich im 16. Jahrhundert zum künstlerischen Zentrum der technisch sehr anspruchsvollen Bergkristallbearbeitung entwickelt. Die virtuos geschnittene Kanne mit eingeschnittener Teufelsgestalt entstand in der Werkstatt der Brüder Sarachi. Hierbei haben die Steinschneider mit dem Goldschmied in hervorragender Weise zusammengearbeitet. Mehrere überaus kostbare Kristallgefäße der Sarachi gelangten als großzügige Diplomatengeschenke an den Dresdner Hof oder wurden im Auftrag der sächsischen Kurfürsten in Mailand erworben.

In the 16th century Milan had become the artistic hub of the technically demanding treatment of rock crystal. This ingeniously designed pitcher with the shape of the devil cut into it was made in the shop of the Sarachi brothers. It is evidence of eminent cooperation between stonecutter and goldsmith. Several most precious crystal vessels of the Sarachi brothers came as generous diplomatic gifts to the Dresden court or were acquired in Milan on behalf of the Saxon electors.

Milan était devenu au l6ième siècle le centre artistique du travail de cristal de roche, techniquement très exigeant. Le pot avec silhouette du diable, taillé avec virtuosité fut créé dans l'atelier des frères Sarachi. Les tailleurs de pierres ont collaboré à cette occasion de manière exceptionnelle avec l'orfèvre. Plusieurs de ces récipients en cristal extrêmement précieux des frères Sarachi, parvinrent à la cour de Dresde, en généreux présents diplomatiques ou bien acquis à Milan sur ordre du prince-électeur saxon.

Werke der Spätrenaissance und des Frühbarock

Works of the Late Renaissance and Early Baroque
Œuvres de la renaissance tardive et du premier baroque

Nach dem Tode des Kurfürsten August herrschten in Sachsen die kunstinteressierten Kurfürsten Christian I., Christian II. und Johann Georg I. Sachsen war zu dieser Zeit der technisch und ökonomisch am weitesten entwickelte Territorialstaat des Heiligen Römischen Reiches und besaß eine starke Wirtschaftskraft. Die drei Kurfürsten erweiterten den Bestand der wettinischen Kunst- und Silberkammer um zahlreiche herausragende Werke der Goldschmiedekunst. Ihre Kunstkammer umfaßte bald schon Werke von höchstem Rang, die in hervorragender Weise die künstlerische Entwicklung des deutschen Manierismus und Frühbarock bis heute sichtbar machen. Die meisten dieser Pokale und Scherzgefäße, Gießgarnituren und Schmuckkassetten entstanden in Nürnberg und Augsburg, den Zentren der Luxusgüterproduktion jener Zeit, doch auch in Sachsen fanden sich bald herausragende Goldschmiede. Zahlreiche kostbar gefaßte Steinschalen kamen damals aus Italien und dem kaiserlichen Prag als Geschenke oder direkte Erwerbungen des Fürstenhauses nach Dresden. Auch vom dem einst noch viel umfangreicheren Bestand an Hals- und Gürtelketten sowie Schmuckanhängern, die die dunklen Gewänder des Kurfürstenpaares und ihrer Nachkommen zierten, hat sich manches erhalten. Erst mit dem Einbruch des Dreißigjährigen Krieges auch in dieses Land fand die kulturelle Hochblüte am sächsischen Kurfürstenhof ihr vorläufiges Ende.

Following the death of August Saxony was ruled by the electors Christian I, Christian II and Johann Georg, who were all interested in art. The three electors expanded the inventory of the Wettin art and silver chamber with numerous eminent works of goldsmith art. Soon the art chamber comprised works of the highest quality which exemplified in an outstanding manner the artistic development of German mannerism and early Baroque. The majority of these goblets and jocular vessels, pouring sets and jewellery boxes were created in Nuremberg and Augsburg, the hubs of luxury goods production of that time. Soon, however, excellent goldsmiths could also be found in Saxony. Numerous preciously set stone bowls came to Dresden from Italy and imperial Prague as gifts or direct purchases of the rulers. Some pieces of the once even more comprehensive collection of necklaces and belt chains as well as decorative pendants which adorned the dark clothes of the electoral couple and their successors have been preserved. The outbreak of the Thirty Years War in this land put a temporary halt to the cultural flourishing of the Saxon electoral court.

Les princes-électeurs Christian Ier, Christian II et Johann Georg Ier, tous trois très intéressés par l'art régnèrent en Saxe après la mort du prince-électeur Auguste. La Saxe était à cette époque l'état territorial le plus développé techniquement et économiquement, du Saint- Empire Romain-Germanique et possédait une grande vigueur économique. Les trois princes-électeurs augmentèrent en fonction de leur haut rang dans l'empire, l'effectif du cabinet d'art et d'argent wettine, par de nombreuses œuvres d'orfèvrerie d'une très grande qualité. Leur cabinet d'art rassembla bientôt des œuvres du plus haut rang, qui montrent de manière exceptionnelle, le développement du maniérisme allemand et du premier baroque. La plupart de ces récipients, nécessaires à se laver les mains et coffrets à bijoux furent créées à Nuremberg et Augsbourg, centres en ce temps là de la production de biens de luxe, mais on trouva aussi bientôt en Saxe des orfèvres dominants. De nombreuses coupes montées sur pierres venaient jadis d'Italie et de la Prague impériale en cadeaux, ou bien en acquisition directe de la maison de l'Electeur à Dresde. Quelques pièces de l'effectif autrefois beaucoup plus important de colliers et de chaînes de ceintures ainsi que de pendentifs qui ornaient les habits sombres du couple prince-électeur et de leurs descendants ont été conservés. C'est seulement avec le début de la guerre de Trent Ans dans cette région que l'apogée culturelle de la cour du prince-électeur prit provisoirement fin.

Seit Jahrhunderten hat der Kirschkern mit seinen zahllosen in Mikroschnitzerei aufgebrachten Köpfen die Besucher Dresdens begeistert. Er galt als eines der Hauptwerke der kursächsischen Kunstkammer. Der in Gold und Email als Anhänger gearbeitete Kirschkern soll nach alter Überlieferung 185 menschliche Gesichter auf seiner Oberfläche vereinen. Er wurde im Jahre 1595 dem Kurfürsten Christian II. verehrt.

For centuries the cherry pit with its innumerable micro-carved heads has fascinated visitors to Dresden. It was considered one of the main pieces of the art chamber of electoral Saxony. According to an old tradition the cherry pit, designed as pendant in gold and enamel, is believed to unite the likenesses of 185 human faces on its surface. It was presented as a gift to Elector Christian II in 1595.

Depuis des siècles, le noyau de cerise sculpté d'innombrables têtes microscopiques a enthousiasmé les visiteurs de Dresde. Le noyau de cerise monte en pendentif sur or et émail réunit selon une vieille tradition, 185 visages humains sur sa surface. On en fit présent au prince-électeur Christian II en 1595.

Das Wappen des Herzogtums Sachsen bildet den Mittelpunkt dieses Kleinods, das Kurfürst Christian II. wohl als Hutzier diente. Das Schmuckstück entstand um 1610. Die das Wappen des sächsischen Kernlandes begleitenden Helmziere von Kleve und Jülich beziehen sich auf eine Anwartschaft des Kurfürsten auf jene deutschen Länder. Das Erbe konnte von Sachsen allerdings nie eingelöst werden. So ist diese prachtvolle Hutzier auch ein wertvolles Zeugnis der wechselvollen sächsischen Geschichte.

The coat of arms of the Saxon dukes forms the centre of this gem which probably served Elector Christian II as hat decoration. This piece of jewellery was created around 1610. The helmet decorations of Kleve and Juelich accompanying the coat of arms of the Saxon mainland referred to the electors claim to these German lands. But Saxony never succeeded in realizing this inheritance. Thus this splendid hat decoration is also a valuable testimony to the varying fortunes of Saxon history.

L'écusson du duché de la Saxe forme le point central de ce bijou qui servait d'ornement à chapeau à Christian II. Ce bijou date de 1610. Les ornements à casque de Kleve et Jülich qui accompagnent cet écusson du cœur de la Saxe, se rapportent à la candidature du prince-électeur dans ces régions. Cet héritage ne revînt d'ailleurs jamais à la Saxe. Ainsi, cet ornement à chapeau est aussi Un somptueux témoignage de l'histoire pleine de changements de la Saxe.

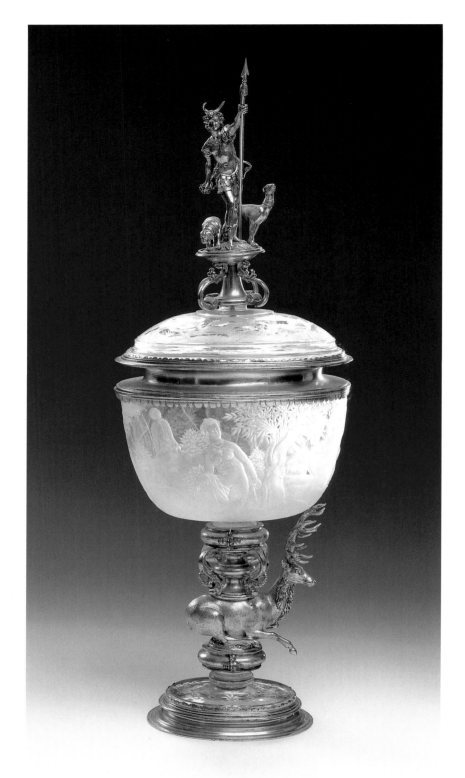

Der ovale Deckelpokal aus Bergkristall wurde von seinen kurfürstlichen Besitzern über viele Jahrzehnte sehr hoch geschätzt und als Trinkgefäß benutzt, bis er schließlich zerbrach. Die fein gearbeitete, künstlerisch sehr bedeutende Darstellung des Bades der Jagdgöttin Diana auf der Pokalkuppa stammt von dem kaiserlichen Kammeredelsteinschneider Caspar Lehmann, der das schöne Gefäß 1606 in Dresden fertigte.

The oval lidded goblet of rock crystal had been highly appreciated by its electoral possessors for many decades and was used as a drinking vessel until it finally broke. The refined, artistically significant representation of the bathing Diana, goddess of hunting, depicted on the top of the goblet was created by the imperial court gem cutter, Caspar Lehmann, who designed the beautiful vessel in Dresden in 1606.

La coupe ovale à couvercle en cristal de roche fut, des décennies durant, très estimée par ses propriétaires les princes-électeurs et utilisée pour boire jusqu'à ce qu'elle se brise. La présentation finement travaillée et très importante de Diane déesse de la chasse prenant son bain sur le haut de la coupe, vient de Caspar Lehmann, tailleur impérial de pierres précieuses qui confectionna ce beau récipient en 1606 à Dresde.

Die ovale Schale aus Heliotrop entstand in der Werkstatt des Ottavio Miseroni im kaiserlichen Prag. Die zierliche, von Neptun bekrönte Schale wurde wohl in Mailand gearbeitet und gelangte aus dem Besitz des dänischen Kronprinzen Christian nach Dresden. Beide Schalen bezeugen die vollendete Kunstfertigkeit und Virtuosität der Steinschneider der Spätrenaissance um 1600.

The oval bowl of heliotrope was created in the workshop of Ottavio Miseroni in imperial Prague. The tiny bowl crowned by Neptune was probably created in Milan and came to Dresden from the possession of the Danish Crown Prince Christian. Both bowls bear witness to the outstanding craftsmanship and ingenuity of the gem cutters of the late Renaissance period around 1600.

La coupe ovale en héliotrope fut confectionnée dans l'atelier d'Ottavio Miseroni dans la Prague impériale. La coupe gracieuse, couronnée par Neptune fut travaillée à Milan et parvint à Dresde après avoir appartenu à Christian, prince héritier de la couronne danoise. Ces deux coupes démontrent l'accomplissement artistique et la virtuosité du tailleur de pierres de la renaissance tardive aux environs de 1600.

Für seine Ehefrau Sophie von Brandenburg erwarb Christian I. in seiner kurzen Regierungszeit zahlreiche Kunstwerke. Der rautenförmige Spiegel enthält, verborgen unter einer ornamentbedeckten Platte, das auf Silber in Ölfarbe gemalte Antlitz der fürstlichen Kunstsammlerin. Das Bildnis wird von einem üppigen Ornament aus grotesken Figuren und Schweifwerk umgeben, das mit phantasievollen Tieren und Blüten durchsetzt ist.

During his short rule Christian I acquired numerous art objects for his wife Sophie of Brandenburg. Concealed below an ornamented plate the rhombic mirror presents the face of the princely art collector painted in oil on silver. The picture is surrounded by lavish ornamentation of grotesque figurines and scallops interspersed with imaginatively designed animals and flowers.

Christian Ier acquit lors de son bref règne un grand nombre d'œuvres d'art pour son épouse Sophie de Brandebourg. Le miroir rhomboïdal renferme, dissimulé sous une plaque couverte d'ornements, le visage peint à l'huile de la princesse collectionneuse d'art. Ce portrait est entouré d'un ornement abondant de personnages grotesques et d'un cadre dans lequel sont gravés avec beaucoup d'originalité des animaux et des fleurs.

Der große, architektonisch gegliederte Schmuckkasten war ein kostbares Weihnachtsgeschenk des Kurfürsten Christian I. an seine Ehefrau. Der Nürnberger Nicolaus Schmidt schuf das prunkvolle Aufbewahrungsmöbel um 1585 nach einem Entwurf des noch bedeutenderen Goldschmieds Wenzel Jamnitzer.

The great, compartmentalized jewellery box was a precious Christmas gift of Elector Christian I to his wife. Nicolaus Schmidt from Nuremberg created this splendid piece of storage furniture around 1585 according to a design by the outstanding goldsmith Wenzel Jamnitzer.

Le grand coffret à bijoux composé de manière architecturale, était un précieux cadeau de noël, offert par Christian Ier à son épouse. Nicolaus Schmidt de Nuremberg créa ce fastueux meuble en 1585 environ, d'après la maquette de l'orfèvre Wenzel Jamnitzer, plus remarquable encore.

Auch als Trinkgefäß konnte die hohe, von einem ausladenden Korallenzweig bekrönte Silberstatuette der Daphne dienen. Die schöne und keusche Nymphe hatte sich der griechischen Sage nach in einen Lorbeerbaum verwandelt, als der liebestrunkene Gott Apoll sie bedrängte. Abraham Jamnitzer fertigte das ungewöhnliche Gefäß nach einem Vorbild seines Vaters.

The silver statuette of Daphne crowned by a lavish coral twig could also be used as a drinking vessel. Greek legend has it that the beautiful and chaste nymph turned into a laurel tree when the god Apollo, intoxicated with love, sought her favours. Abraham Jamnitzer created the unusual vessel according to the example of an artwork by his father.

On pouvait aussi utiliser la statuette en argent de Daphné, couronnée de branches de corail, comme récipient à boisson. La belle et chaste nymphe s'était, selon la légende grecque, transformée en laurier après que le dieu Apollon, ivre d'amour l'eut tourmentée. Abraham Jamnitzer fabriqua ce récipient insolite d'après un modèle de son père.

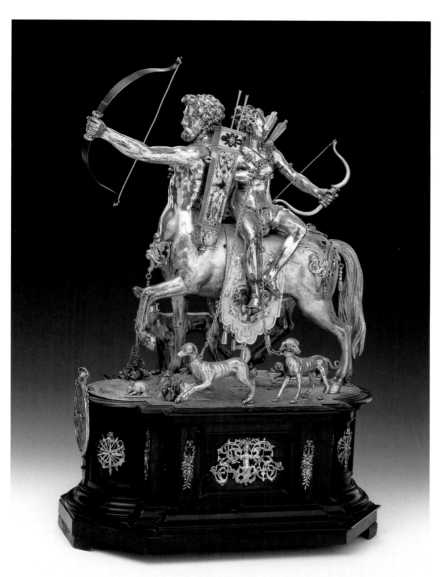

Aus Prag, der kaiserlichen Residenzstadt Rudolfs II., brachte Kurfürst
Christian II. diesen Automaten mit
nach Dresden. Er diente dazu, die
Tischgesellschaften auf angenehme
Art zu unterhalten. Die Reiterin Diana
auf dem Kentauren konnte, begleitet
von sich bewegenden Jagdhunden,
über die Tafel fahren, mit den Augen
rollen, und der Kentaur konnte zuletzt
auch einen Pfeil abschießen.

Christian II brought this machine
from Prague, the imperial residential
town of Rudolf II, to Dresden. It
served to pleasantly entertain table
guests. Accompanied by moving hunting dogs the horsewoman Diana rid-
ing on a centaur rolled her eyes as did
the centaur who could finally shoot an
arrow while the whole group was moving across the table.

Christian II rapporta cet automate de
Prague, capitale impériale de Rudolf
II, à Dresde. Il servait à distraire les
convives de manière agréable. La cava-
lière Diane, juchée sur le centaure,
pouvait, accompagnée par ses chiens
de chasse, se déplacer le long de la
table, rouler des yeux et le centaure
pouvait même tirer une flèche.

Elias Geyer aus Leipzig war der bedeutendste sächsische Goldschmied um 1600. Er hinterließ im Grünen Gewölbe eine umfangreiche Menagerie an Scherzgefäßen in Form von Straußen, Seepferden, See- und Einhörnern, Basilisken oder Greifen aus vergoldetem Silber, Straußeneiern und Seeschneckengehäusen.

Elias Geyer from Leipzig was the most distinguished Saxon goldsmith around 1600. In the Green Vault he left a comprehensive menagerie of jocular vessels in the form of ostriches, sea horses, sea unicorns, basilisks and griffins from gilded silver, ostrich eggs and sea snail shells.

Elias Geyer de Leipzig, était l'orfèvre saxon le plus important vers 1600. Il laissa à la Voûte Verte une ménagerie volumineuse de récipients en forme d'autruches, d'hippocampes, licornes de mer, de basilics ou griffons en argent doré, œufs d'autruche et coquilles d'escargots de mer.

Einer Schale aus Perlmutterplättchen aus dem Fernen Osten wurde von Elias Geyer eine Kanne hinzugefügt; sie wurde so zu einer modernen Gieß-garnitur umgearbeitet. Solche Prunk-garnituren dienten bis ins späte 17. Jahrhundert am kurfürstlichen Hof zur Reinigung der Hände bei den Mahlzeiten. Dies war nötig, da man zumeist noch auf den Gebrauch von Gabeln verzichtete und mit bloßen Fingern aß.

A bowl of mother of pearl from the Far East was supplemented by a pitcher by Elias Geyer and thus turned into a fashionable pouring set. Until the late 17th century such splendid sets served for hand washing during meals at the electoral court. This was particularly important since most peo-ple did not use forks but their fingers for eating.

Elias Geyer ajouta à une coupe en pla-ques de nacre de l'Est de l'Asie, un broc, et fit de ces deux objets un néces-saire à se laver les mains moderne. De telles garnitures servirent à la cour du prince-électeur, et ce jusqu'au 17ième siècle avancé, au nettoyage des mains lors des repas. Cela était nécessaire puisque l'on renonçait la plupart du temps à l'usage des fourchettes et qu'on se contentait de manger avec les doigts.

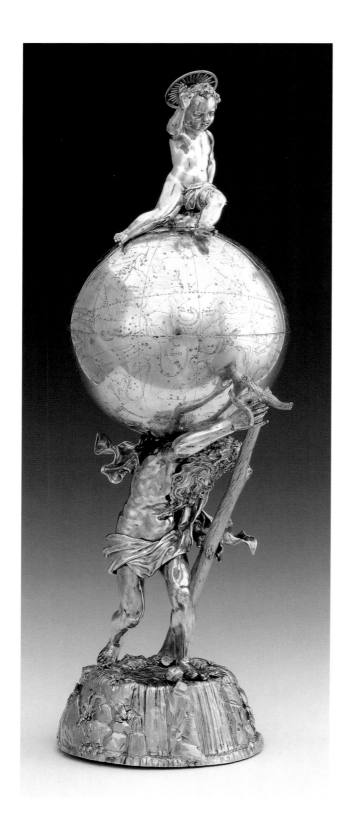

Der ungewöhnlich sorgfältig gestaltete Deckelpokal in Form des heiligen Christophorus, der die Himmelskugel mit dem segnenden Christuskind trägt, hat sein Pendant in einem ebenfalls von Elias Lenker vor 1629 in Augsburg geschaffenen Globuspokal mit Herkules. Beide Pokale konnten sich mit Hilfe ihrer Laufwerke über den Tisch bewegen.

The lidded goblet, designed with unusual care in the shape of St. Christopher carrying the celestial sphere with the blessing infant Christ, finds its counterpart in a globe goblet with Hercules, also created by Elias Lenker in Augsburg prior to 1629. Both goblets could move across the table by means of drive mechanisms.

La manière insolite et soignée dont est façonnée cette coupe à couvercle en forme de Saint Christophe portant le globe céleste avec l'enfant Christ bénissant, à son pendant dans une coupe en forme de globe avec Hercule, également fabriquée par Elias Lenker avant 1629, à Augsbourg. Les deux coupes pouvaient se mouvoir sur la table à l'aide de leur mécanisme de roulement.

Große Silbergefäße wie dieser Kriegs-elefant des Nürnberger Goldschmieds Urban Wolff dienten nicht allein zum Gebrauch als imposantes Scherzgefäß oder bloß zu rein dekorativen Zwek-ken. Sie bildeten mit ihrem hohen Gewicht an Silber auch einen künstle-risch veredelten Bestandteil des kur-fürstlichen Staatsschatzes und hätten in der Not eingeschmolzen und ver-münzt werden können.

Large silver vessels such as this war elephant by the Nuremberg goldsmith Urban Wolff served not just as imposing jocular vessels and were not simply for pure decorative purposes. With their large quantity of silver they were an artistically refined component of the electoral state treasury and could have been melted and minted in times of need.

Les grands récipients en argent tels que cet éléphant de guerre de l'orfèvre de Nuremberg Urban Wolff, n'avaient pas pour seule fonction d'être de plai-sants récipients ou de simples objets décoratifs. Ils constituaient de part leur poids important en argent, un composant artistique noble du trésor public de l'Electeur et auraient pu être fondus et monnayés si nécessaire.

Eines der letzten Werke, das die
Hochkultur des sächsischen Hofes
kurz vor Einbruch der Schrecken des
Dreißigjährigen Krieges in dieses
Land hervorbrachte, ist die von Daniel
Kellerthaler geschaffene Gießgarnitur
mit dem Marsiasbecken und der
Midaskanne. Die in Relief und Skulpturen aufgelöste Kanne ist dabei noch
ganz dem Formempfinden des Manierismus verhaftet.

One of the last works created by the
advanced culture of the Saxon court
shortly before the outbreak of the terrors of the Thirty Years War is the
pouring set by Daniel Kellerthaler
consisting of a Marsias basin and a
Midas pitcher. The pitcher, consisting
of reliefs and sculptures, is still deeply
rooted in the artistic designs of Mannerism.

L'une des dernières œuvres que la
haute culture de la cour de Saxe pro-
duisit, avant l'irruption de la terreur de
la guerre de Trente Ans, est l'ensemble
comprenant le bassin-Marsyas et le
broc-Midas. Ce broc tout en sculptures et reliefs est là encore très attaché
à la sensibilité des formes du
maniérisme.

Zu den eindrucksvollsten Gold-
schmiedewerken des deutschen
Manierismus gehört die um 1610 in
Nürnberg von Christoph Jamnitzer
gefertigte Kanne in Drachenform. Die
Kanne mit ihren in feingliedriges
Ornament aufgelösten Formen und
den subtil in die herzförmigen Schilde
punzierten Darstellungen der Allegorien der vier Jahreszeiten gilt als eines
der Hauptwerke dieses bedeutenden
Goldschmieds. Das zu ihr gehörige
Prunkbecken wurde 1772 eingeschmolzen.

One of the most impressive goldsmith
works of German mannerism is the
pitcher in the shape of a dragon created by Christoph Jamnitzer in
Nuremberg around 1610. With its
shapes dissolving in delicate ornamentation and the presentation of the allegory of the four seasons subtly
embossed upon the heart-shaped
shields, it is regarded as one of the
main works of this important goldsmith. The splendid basin which
belonged to it was melted in 1772.

Parmi les oeuvres les plus impression-
nantes du maniérisme allemand se
trouvent le broc en forme de dragon,
fait à Nuremberg par Christoph Jamnitzer, en 1610. Le broc, dont les formes déliées en un fin ornement et la
subtilité avec laquelle sont ciselées,
dans le panonceau en forme de coeur,
les représentations des allégories des
quatre saisons, passe pour l'oeuvre
principale de cet orfèvre éminent. Le
bassin appartenant au broc fut fondu
en 1772.

In seinem letzten Lebensjahr schuf der Elfenbeindrechsler Jacob Zeller 1620 für Johann Georg I. diese große, vom Gott der Meere getragene Fregatte. Es handelt sich um ein Kunstwerk ersten Ranges. Mit den auf dem Hauptsegel eingeschnitzten Wappen des Kurfürstenpaares und den in die Planken des originalgetreu gearbeiteten Schiffes in gleicher Weise angebrachten Namen der mythischen und realen Vorfahren des Sachsenherzogs spiegelt sie das Staatsverständnis ihrer Entstehungszeit wider.

In 1620, the last year of his life, ivory turner Jacob Zeller created for Johann Georg I this large frigate borne by the god of the sea. It is a work of art of the highest quality. The coat of arms of the electoral couple was carved into the mainsail and the names of the mythical and real predecessors of the Saxon duke were similarly carved into the planks of the ship, which was constructed faithful to the original. These elements are a perfect reflection of the idea of the state at that time.

Au cours de la dernière année de sa vie le tourneur d'ivoire Jacob Zeller créa en 1620 pour Johann Georg Ier cette grande frégate portée par le dieu des mers. Il s'agit d'une oeuvre d'art de premier rang. Avec l'écusson du couple électeur grave sur la voile principale et les noms des ancêtres mythiques et réels du duc de Saxe, également graves sur le madrier de ce navire semblable à l'original, elle reflète la philosophie de l'état du temps de sa genèse.

Die Tscherpertasche ist Teil einer umfangreichen, zwischen 1675 und 1677 von Samuel Klemm in Freiberg geschaffenen Bergmannsgarnitur für Johann Georg II. Der Kurfürst trug diese Prunkgarnitur aus sächsischen Edelsteinen und Edelmetall als Ausdruck seiner Funktion als oberster Bergbaubeamter während einer Zusammenkunft mit seinen Brüdern im Jahre 1678.

The miner's bag is part of a comprehensive mining set created for Johann Georg II by Samuel Klemm in Freiberg between 1675 and 1677. The elector wore this splendid outfit of Saxon gems and precious metal to express his role as supreme mining official during a meeting with his brothers in 1678.

La sacoche à petit couteau fait partie d'une panoplie de mineur volumineuse, créée entre 1675 et 1677 par Samuel Klemm à Freiberg pour Johann Georg II. Le prince-électeur porta cette garniture somptueuse toute de pierres précieuses et de métal noble en représentation de sa fonction de premier officier des mines lors d'une entrevue avec ses frères en 1678.

Sorgfältig gestaltete Trinkgefäße aus Bernstein waren nicht nur wegen ihrer materiellen Schönheit, sondern auch wegen der bei ihnen vermuteten heilsamen Wirkung sehr beliebt. Die in Königsberg und Danzig hergestellten Bernsteinarbeiten dienten dem preußischen Landesherren als kostbare Staatsgeschenke. Besonders prächtige Kannen, Humpen und Schalen wurden sogar, wie die hier abgebildete Kanne mit den Darstellungen griechischer Gottheiten, in purem Gold gefaßt.

Carefully designed drinking vessels of amber were very popular not only because of their material beauty but also because of the wholesome effect they were believed to have. The amber works created in Königsberg and Gdansk served the Prussian ruler as precious gifts of state. Particularly splendid pitchers, tankards and bowls were even set in pure gold as is obvious in the case of the pitcher depicted here containing a presentation of Greek deities.

Des récipients à boisson minutieusement travaillés en ambre jaune n'étaient pas seulement appréciés pour leur beauté matérielle mais aussi pour leurs propriétés curatives présumées. Ces travaux d'ambre produits à Königsberg et Danzig servaient de précieux présents d'Etat aux souverains prussiens. Des hanaps, des coupes et des brocs particulièrement somptueux furent même sertis d'or pur comme cette coupe représentée ici avec ses figures de dieux grecs.

Nur wenige Skulpturen aus Bernstein
können, wie diese freiplastische
Gruppe der drei Grazien, in der Qualität ihrer Bearbeitung mit Statuetten
aus anderen Materialien wie Elfenbein, Holz oder Metall wetteifern.
Christoph Maucher hat diese Ver-
sammlung der etwas füllig wirkenden
Töchter des Zeus um 1680 in Danzig
gefertigt.

Only few amber sculptures such as this
three-dimensional group of the three
graces can compete in terms of quality
with statuettes made of other materials
such as ivory, wood or metal.
Christoph Maucher created this gath-
ering of the somewhat plump daugh-
ters of Zeus in Gdansk around 1680.

Peu de sculptures en ambre peuvent,
comme ce groupe à la plastique libre
des trois Grâces, rivaliser, de par la
qualité de leur travail, avec des statuettes d'autres matériaux tels que l'ivoire,
le bois ou le métal. Christoph Maucher a conçu ce groupe des replètes fil-
les de Zeus en 1680 à Danzig.

Die sächsischen Kurfürsten hatten im 17. Jahrhundert eine schier unstillbare Vorliebe für Statuetten aus Elfenbein. Dementsprechend groß ist der Bestand an diesen delikaten Kunstwerken im Grünen Gewölbe. Die kurfürstlichen Sammler erwarben manches dieser Werke außerhalb ihres Landes, wie etwa die um die Mitte des 17. Jahrhunderts in Wien von Adam Lenckhardt geschaffene Figur des Götterboten Merkur. Mit Melchior Barthel, dem die bewegte Gruppe des Raubes einer Sabinerin zu verdanken ist, wirkte ein hervorragender Bearbeiter dieses Materials über wenige Jahre in der sächsischen Residenzstadt.

In the 17th century the Saxon electors had an almost insatiable preference for statuettes of ivory. This is reflected in the great number of these delicate artworks in the Green Vault. The electoral collectors acquired many of these works outside their country, such as the figurine of Mercury, messenger of the gods, created by Adam Lenckhardt in Vienna in the middle of the 17th century. Melchior Barthel designed the animated group depicting the rape of a Sabine. He was an eminent artist working with this material who lived in the Saxon residential town for some years.

Les princes-électeurs saxons avaient une prédilection insatiable pour les statuettes en ivoire. Le grand nombre de ces oeuvres délicates de la Voûte Verte en est la preuve. Les princes-électeurs collectionneurs, acquièrent quelques unes de ces œuvres en dehors de leur pays, comme cette figure de Mercure, messager des dieux, qui fut créée à Vienne, environ au milieu du 17ième siècle par Adam Lenckhart. Avec Melchior Barthel, auquel on doit ce groupe touchant de l'enlèvement d'une Sabine, exerça un ouvrier remarquable en cette matière, durant peu d'années, dans la résidence saxonne.

August der Starke als Sammler

August the Strong as a Collector
Auguste le Fort, collectionneur

August der Starke konnte seine politisch wie künstlerisch ambitionierte Regierung auf einem in der zweiten Hälfte des 17. Jahrhunderts wieder erstarkten und hochindustrialisierten Land aufbauen. Diese Grundlage verschaffte dem sächsischen Kurfürsten nicht allein 1697 die polnische Königskrone, sie finanzierte auch weitgehend seine Bauvorhaben und ermöglichte ihm umfangreiche Kunstankäufe und prunkvolle Feste. Mit der durch ihn auf Lebenszeit vollzogenen sächsischpolnischen Union strebte er nach der Stellung einer neuen Großmacht auf dem Kontinent. Gleichzeitig entwickelte sich sein Dresdner Hof in erstaunlich kurzer Zeit erneut zu einem künstlerischen Mittelpunkt Europas. Die im Umkreis Augusts des Starken geschaffenen Kunstwerke prägten die Erscheinungsform seiner Epoche und wirkten als Vorbilder bis weit ins 18. Jahrhundert hinein. August der Starke war ein Kunstkenner ersten Ranges und entwickelte dabei eine besondere Vorliebe für die Architektur und die Goldschmiedekunst. Das von ihm begründete sächsische Schatzkammermuseum im Grünen Gewölbe vereinte beide Bereiche der Kunst in idealer Weise. Es war das gemeinsame Werk der führenden Meister der damaligen Moderne und ist ohne den gestalterischen Willen des Kurfürst-Königs nicht denkbar. Was für das gesamte Ensemble zutrifft, gilt entsprechend auch für viele der prächtigen Werke, die im Grünen Gewölbe einen ihrem Wert gemäßen Rahmen fanden. August der Starke hatte als fürstlicher Mäzen prägenden Einfluß auf das Kunstschaffen seiner Zeit. Er verband dabei als Auftraggeber ein ungewöhnlich hohes Maß an Gestaltungsfreiheit mit einem ebenso hohen Qualitätsanspruch. Gerade dies spornte die in Sachsen tätigen internationalen Künstler immer wieder zu Höchstleistungen an, die das Grüne Gewölbe bis heute zu einer einzigartigen Sammlung von Schatzkunst des 18. Jahrhunderts werden lassen.

August the Strong was able to build his politically as well as artistically ambitious government on the advanced industry of a country which was increasing its powers in the second half of the 17th century. This basis provided the Saxon elector not only with the royal crown of Poland in 1697, but it also largely financed his building projects as well as his numerous acquisitions of artworks and his splendid celebrations. With the lifetime union of Saxony and Poland the elector-king strove for the position of a new major power on the continent. Simultaneously his Dresden court again developed within an amazingly short period of time into the artistic centre of Europe. The artworks created in the sphere of August the Strong marked the appearance of his epoch and served as examples until far into the 18th century. August the Strong was an art connoisseur of the first rank and developed a special preference for architecture and goldsmith art. The Saxon treasure chamber museum in the Green Vault which he founded united both areas of art in an ideal manner. It was the cooperative effort of the leading masters of the modern art of that time and could not be imagined without the creative mind of the elector-king. What is true for the overall ensemble also applies to many of the splendid works which found in the Green Vault a framework appropriate to their worth. As a princely patron of the arts August the Strong exerted an important influence on the art of his time. As commissioner he combined extensive creative freedom with an equally lofty demand for quality. It was this attitude which caused the international artists working in Saxony to accomplish outstanding achievements which have made the Green Vault a unique collection of 18th century treasure art to the present day.

Auguste le Fort put bâtir son gouvernement ambitieux aussi bien politiquement qu'artistiquement dans un pays qui, dans la deuxième moitié du 17ième siècle, s'était raffermi et était très industrialisé. Cette base procura au prince-électeur saxon non seulement la couronne royale de Pologne en 1697, mais finança aussi ses projets importants de construction et rendit possible les nombreux achats d'œuvres d'art et les fêtes fastueuses. Avec l'union saxo-polonaise accomplie par lui à perpétuité, il visa la place d'une nouvelle grande puissance sur le continent. Au même moment, sa cour de Dresde se développa en un temps étonnement court en un foyer artistique de l'Europe. Les oeuvres d'art acquises dans le cercle d'Auguste le Fort marquent son époque et servirent d'exemple jusque dans le 18ième siècle. Auguste le Fort était un connaisseur de premier ordre en art et développa un goût particulier pour l'architecture et l'orfèvrerie. Le musée du trésor public créé par lui, dans la Voûte Verte, réunit de façon idéale ces deux domaines de l'art. C'était l'œuvre commune des artistes majeurs de l'art moderne de l'époque et n'est pas pensable sans la volonté de réalisation du roi-électeur. Ce qui concerne l'ensemble est également valable pour beaucoup des œuvres somptueuses qui trouvèrent en la Voûte Verte, un cadre correspondant à leur valeur. Auguste le Fort avait en temps que mécène de premier ordre, une influence marquante sur les créateurs d'art de son époque. Il associa en tant que dirigeant un haut degré de liberté de réalisation et une toute aussi haute prétention à la qualité. Cela justement poussa les artistes internationaux qui travaillaient en Saxe à réussir des performances qui laissèrent à la Voûte Verte jusqu'à nos jours une collection unique de trésors artistiques du 18ième siècle.

Mehr noch als andere Bestandteile seiner Kunstsammlungen erschienen
August dem Starken die überquellen-
den Schätze des Grünen Gewölbes
hervorragend dazu geeignet, seinen
weitreichenden politischen und kulturellen Anspruch zu vermitteln. Das
Porträt des großen fürstlichen Kunst-
kenners findet sich deshalb als ein von
Georg Friedrich Dinglinger gemaltes
Emailbildnis nicht allein am Fuß des
Obeliscus Augustalis, sondern auch in
idealisierter Form auf der Prunkschale
mit dem kämpfenden Herkules. Auf
vielen anderen Kunstwerken erschei-
nen das königliche Monogramm und
die sächsisch-polnischen Herrschafts-
zeichen.

More than any other components of
his art collections, August the Strong
regarded the abundant treasures of the
Green Vault as extremely suitable to
represent his far-reaching political and
cultural claim. The likeness of the
great princely art connoisseur can be
found not only as an enamel picture
painted by Georg Friedrich Dinglinger at the foot of the Obeliscus
Augustalis, but also in an idealized
form on the splendid bowl with the
fighting Hercules. Many other artworks bear the royal monogram and
the Saxon-Polish insignia.

Plus encore que les objets de ses collections d'art, les trésors dont débor-
dait la Voûte Verte paraissaient tout
désignés à Auguste le Fort pour transmettre ses grandes prétentions politi-
ques et culturelles. C'est pourquoi le
portrait de l'Electeur amateur d'art ne
se trouvait pas seulement peint sur
émail par Georg Friedrich Dinglinger
au pied de l'obélisque Augustalis, mais
aussi, sous forme idéalisée, sur la
coupe d'apparat avec l'Hercule guer-
rier. Le monogramme royal et les
signes de la domination saxo-polonaise
apparaissent sur beaucoup d'autres
œuvres d'art.

Mit Balthasar Permoser wirkte zwischen 1690 und 1732 einer der bedeutendsten deutschen Bildhauer seiner Zeit in Dresden. Die frühesten von ihm geschaffenen Kunstwerke im Grünen Gewölbe bilden eine Folge der vier Jahreszeiten. Die zwischen 1685 und 1690 aus Elfenbein geschnitzten Allegorien des Frühlings und des Herbstes weisen bereits auf Permosers viele Jahrzehnte später in Stein gehauene Skulpturen des Zwingers voraus.

Balthasar Permoser, one of the most important German sculptors of his time, worked in Dresden between 1690 and 1732. The earliest works in the Green Vault created by him form a sequence of the four seasons. The allegories of spring and autumn, which were carved from ivory between 1685 and 1690, already anticipate the stone sculptures of the Zwinger which Permoser created many decades later.

Avec Balthasar Permoser, apparut entre 1690 et 1732 l'un des sculpteurs allemands les plus importants de son époque. Les premières œuvres d'art qu'il créa dans la Voûte Verte forment une suite des quatre saisons. Les allégories du printemps et de l'automne sculptées sur ivoire entre 1685 et 1690 annoncent déjà les sculptures en pierre du Zwinger que Permoser devait réaliser de nombreuses décennies plus tard.

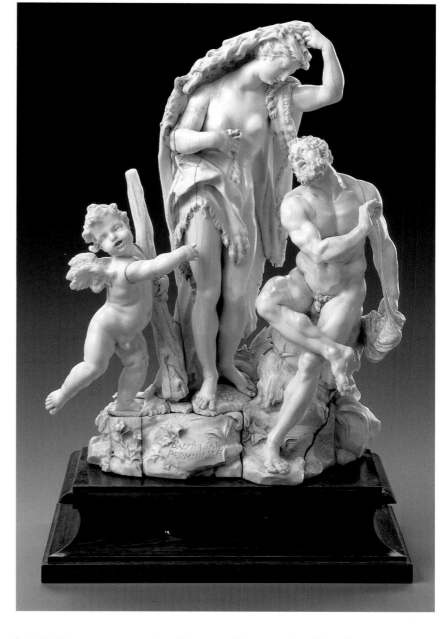

Permoser wurde in Dresden zunächst vor allem als Elfenbeinschnitzer beschäftigt. Es entstanden Werke, mit denen er die hochbarocke Figurenauffassung Italiens nach Nordeuropa vermittelte. Seine um 1700 entstandene Figurengruppe des als Sklave der lydischen Königstochter Omphale dienenden Herkules hat noch die Entwicklung der Porzellanplastik in der ersten Hälfte des 18. Jahrhunderts beeinflußt.

Initially Permoser was employed in Dresden primarily as ivory carver. He created works which brought the high Baroque sculptural concepts of Italy to northern Europe. His group of figurines depicting Hercules as slave of the Lydian king's daughter Omphale was created around 1700 and influenced the development of porcelain sculptures even in the first half of the 18th century.

Permoser fut, d'abord et surtout, sculpteur d'ivoire à Dresde. Il en résulta des œuvres par l'entremise desquelles il apporta le style de figures du haut baroque italien en Europe du nord. Créé en 1700 environ, son groupe de figures représentant Hercule en esclave servant Omphale, fille du roi de Lydie, a influencé, dans la première moitié du 18ième siècle, la plastique de la porcelaine.

Für Johann Georg IV., den früh verstorbenen älteren Bruder Augusts des Starken, schuf der gerade in Dresden angekommene Goldschmied Johann Melchior Dinglinger zwischen 1692 und 1694 sein erstes erhaltenes Werk, die kleine Gruppe des hl. Georg als Drachentöter. Der goldene, mit Email und zahllosen Edelsteinen bedeckte Anhänger sollte seinem Auftraggeber als Kleinod des englischen Hosenbandordens dienen.

Between 1692 and 1694 the goldsmith Johann Melchior Dinglinger, newly arrived in Dresden, created his first preserved work, the small group of St. George as dragon slayer. It was made for Johann Georg IV, the older brother of August the Strong, who died at an early age. The golden pendant covered with enamel and numerous gems was intended to serve his commissioner as treasure of the English Order of the Garter.

C'est pour Johann Georg IV, le frère aîné et mort très tôt d'Auguste le Fort que l'orfèvre Johann Melchior Dinglinger, nouvellement arrivé à Dresde, créa entre 1692 et 1694, sa première œuvre, du petit groupe de Saint Georges tuant le dragon. Le pendentif en or, couvert d'émail et de pierres précieuses innombrables devait servir à son commandant, de joyau pour l'ordre anglais de la jarretière.

Neben den berühmten Kabinett-
stücken schuf Dinglinger für August
den Starken auch zahlreiche kleine
Luxusgegenstände, die für einen
Goldschmied und Juwelier typischer
waren. Zu diesen Bijouterien oder
Galanteriearbeiten gehören kleine
Dosen, Riechfläschchen, Stockknöpfe
und Siegelhalter, die aus kostbarstem
Material bestehen und überaus fein
mit Email und Edelsteinen besetzt
sind.

In addition to the famous chamber
pieces, Dinglinger also created for
August the Strong numerous small
luxury objects which were more typical for a goldsmith and jeweller. These
fancy works included small boxes,
scent bottles, walking stick knobs and
seal holders consisting of the most
precious material and subtly decorated
with enamel and gems.

En plus des célèbres pièces de musée,
Dinglinger créa aussi pour Auguste le
Fort de nombreux petits objets de luxe
qui étaient plus typiques pour un
orfèvre et joaillier. Parmi ces travaux
de bijouterie et de galanterie, on peut
voir des petites boites, des flacons de
senteur, des boutons de cannes ou des
portes sceaux composes de matériaux
précieux et finement garnis d'émail et
de pierres précieuses.

Das zwischen 1697 und 1701 gefertigte Goldene Kaffeezeug ist das erste große Kabinettstück des überragenden Hofjuweliers Johann Melchior Dinglinger. Das prunkvolle Tafelgerät war für die gerade in Mode gekommenen Heißgetränke Tee und Kaffee bestimmt und besteht zum größten Teil aus purem Gold. August der Starke erhielt mit dem von tausenden Diamanten übersäten Service einen Prunkgegenstand, der seiner neuen Würde als sächsisch-polnischer Kurfürst-König entsprach. Die etwas später, im Jahre 1704, geschaffene Zierschale mit dem Bad der Diana scheint fast schwerelos über dem Geweih eines Hirschkopfes zu schweben. Die sich auf ihr Bad vorbereitende Elfenbeinstatuette der keuschen Göttin der Jagd schnitzte Balthasar Permoser.

The golden coffee set created between 1697 and 1701 is the first major chamber piece of the eminent court jeweller Johann Melchior Dinglinger. The splendid table accessory was meant to be used for tea and coffee, hot beverages which had just come into fashion. The major part of this service is made of pure gold. With this set covered with thousands of diamonds, August the Strong was given an object of splendour befitting his new rank as Saxon-Polish elector-king. The decorative bowl, created somewhat later in 1704, represents the bathing of Diana and seems to float almost weightlessly above the antlers of a deer. The ivory statuette of the chaste goddess of hunting who is getting ready for her bath was carved by Balthasar Permoser.

Le service à café en or, créé entre 1697 et 1701, est la première grande pièce de musée de l'excellent joaillier de la cour Johann Melchior Dinglinger. Le somptueux service de table destiné à consommer les boissons chaudes nouvellement à la mode telles que le thé et le café, est composé en grande partie d'or pur. Auguste le Fort reçut avec ce service orné de milliers de diamants un objet d'apparat adéquat à sa nouvelle dignité de roi-électeur saxo-polonais. La coupe décorative créée en 1704 représentant le bain de Diane, semble presque ne rien peser sur les bois de cette tête de cerf. C'est Balthasar Permoser qui sculpta la statuette d'ivoire de la chaste déesse de la chasse se préparant au bain.

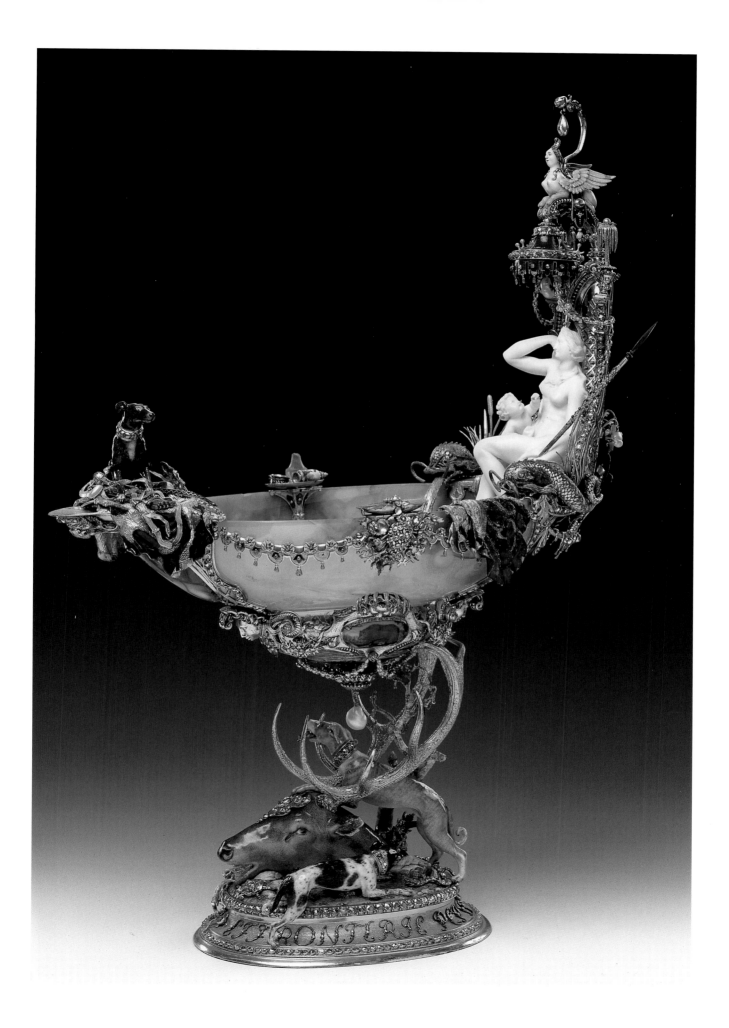

Einen Höhepunkt im künstlerischen Werk Dinglingers nimmt der »Thron des Großmoguls Aureng-Zeb« ein. In fast schon wissenschaftlicher Genauigkeit schilderten Dinglinger und seine Brüder mit großer Gestaltungsfreude das orientalische Treiben am Hofe des damals reichsten Fürsten der Erde. Die goldenen, kunstvoll emaillierten Figuren sind von höchster Qualität. Es entstand das erste große Zeugnis der Chinamode in Deutschland. Schaulust, Neugier auf fremde Kulturen, barocke Feststimmung und absolutistischer Wunschtraum vereinen sich in diesem unvergleichbaren Werk zu einem märchenhaften Ensemble.

»The Throne of The Great Mogul Aureng Zeb« is a highlight in the artistic work of Dinglinger. With almost scientific detail and great love of design Dinglinger and his brothers depicted the Oriental activities at the court of the prince who used to be the richest ruler on earth. The golden, artistically-enamelled figures are of outstanding quality. It is the first great testimony to the China fashion in Germany. Curiosity, fascination for foreign cultures, a Baroque festive mood and absolutist dreams unite to form a fairy tale arrangement in this incomparable work.

L'un des points culminants de l'œuvre artistique de Dinglinger est le »Trône du grand souverain mogol Aureng-Zeb«. Dinglinger et ses frères retracent avec une précision presque scientifique et une haute créativité les pratiques orientales à la cour du prince jadis la plus riche du monde. Les figures d'or, artistiquement émaillées, sont de plus grande qualité. C'est le premier témoignage de la mode chinoise en Allemagne. Curiosité pour les civilisations étrangères, ambiance de fête baroque et rêves d'absolutisme sont réunis dans cette œuvre incomparable en un ensemble merveilleux.

In einem Zeitraum von gut zehn Jahren entstanden zwischen 1709 und 1720 in Dinglingers Werkstatt eine Reihe außergewöhnlicher Prunkschalen und -pokale. Die elegant aus Rhinozeroshorn geschnitzte Mohrin, die eine muschelförmige Schale trägt, wurde um 1709 vollendet. Der grün emaillierte Greif hält in seinem Schnabel den Weißen Elefantenorden des dänischen Königshauses. Die aus Achat geschnittene Zierschale, deren Deckel eine vergnüglich-chaotische Kinderschar bevölkert, ist mit der Jahreszahl 1711 datiert. Ihre Kinderfiguren aus unregelmäßig gewachsenen, großen Perlen verweisen auf die Vorliebe Augusts des Starken für derartige Juwelierplastiken.

Within a period of a little more than ten years a number of exceptional splendid bowls and goblets were created in Dinglinger's workshop between 1709 and 1720. The Moorish woman elegantly carved from rhinoceros horn carries a shell-shaped bowl. The artifact was completed around 1709. The green enamelled griffin carries in his beak the White Elephant Order of the Danish royal household. The decorative bowl cut from agate, whose lid is populated by a pleasantly chaotic crowd of children, bears the date 1711. The figurines of children made of irregular, large pearls are evidence of August the Strong's preference for such jewellery sculptures.

Dans un laps de temps de bien dix années, fut créée entre 1709 et 1720 une série de coupes et de coupes d'apparat exceptionnelles dans l'atelier de Dinglinger. L'élégante négresse portant une coupe en forme de coquillage, sculptée en corne de rhinocéros fut achevée en 1709 environ. Le griffon émaillé de vert porte dans son bec les ordres de l'Eléphant blanc de la maison royale danoise. Cette coupe d'ornement taillée dans l'agate, dont le couvercle est peuplé groupe d'enfants amusant insouciant date de 1777. Les figures d'enfants faites à partir de perles irrégulières, montrent le goût d'Auguste le Fort pour cette forme de joaillerie.

Permoser hat sich fast sein ganzes künstlerisches Leben hindurch mit dem Thema des exotischen Menschen dunkler Hautfarbe befaßt. Die ältesten Figuren dieser Art, zwei afrikanische Krieger, entstanden in Dresden wohl kurz vor 1700. Schwarze waren am sächsischen Hof wohl bekannt, August der Starke erschien selbst beim Karnevalsumzug des Jahres 1709 als Mohrenkönig zu Pferde und in Mohrenbegleitung.

Almost all his artistic life long, Permoser was dedicated to the theme of dark-skinned, exotic people. The earliest figures of this kind, two African warriors, are believed to have been created in Dresden shortly before 1700. Black people were known at the Saxon court. August the Strong personally appeared during a carnival parade in 1709 as a Moorish king on horseback and was accompanied by native Moors.

Le thème des êtres humains exotiques à la peau foncée a intéressé Permoser durant presque toute sa vie d'artiste. Les figures les plus anciennes de cette sorte, deux guerriers africains, furent créées à Dresde peu avant 1700. Les noirs étaient bien connus à la cour saxonne puisque Auguste le Fort lui même apparut en 1709, en »roi-nègre« à cheval, accompagné de nègres, lors d'un défilé de carnaval.

Der Wunsch Augusts des Starken, eines der berühmtesten Schaustücke der ererbten Kunstkammer, die 1581 von Kaiser Rudolf II. dem Kurfürsten August geschenkte große Smaragdstufe, im Grünen Gewölbe auszustellen, führte zu dieser von Permoser gefertigten Skulptur. Die Smaragdstufe galt als Wunderwerk der Natur. Sie wird nun seit der Einrichtung des sächsischen Schatzkammermuseums von dem stolzen, jungen Indianer, der auch als Mohr bezeichnet wird, den neugierigen Blicken der Besucher präsentiert.

August the Strong wanted to display in the Green Vault one of the most famous exhibits of the inherited art chamber, the large emerald stair given to Elector August by Emperor Rudolf II in 1581. This is the reason for the sculpture created by Permoser. The emerald stair was considered a miraculous work of nature. Since the establishment of the Saxon treasure chamber museum it has been presented to its curious visitors by a proud young Red Indian who is also described as a Moor.

Le désir d'Auguste le Fort d'exposer la pièce la plus célèbre, dont le cabinet d'art hérita et qui fut offerte au price-électeur Auguste par l'empereur Rudolf II, le grand bloc d'émeraude conduisit à cette sculpture réalisée par Permoser. Ce bloc d'émeraude passe pour être un miracle de la nature. Il est présenté aux regards curieux des visiteurs par le jeune et fier indien, qu'on appelle aussi nègre, depuis l'aménagement du musée du trésor public saxon.

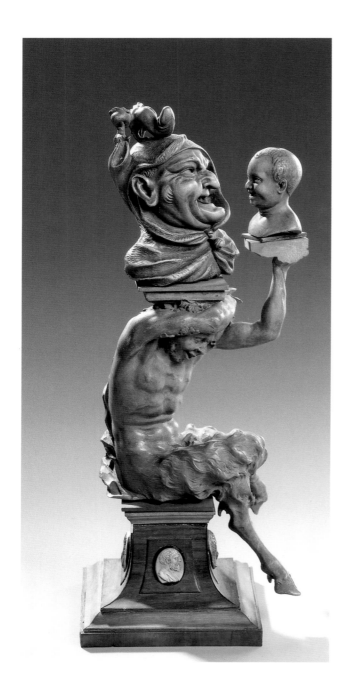

Aus dem »Vorrat« des Grünen
Gewölbes, in dem zerbrochene Kunstwerke und noch nicht verarbeitete
Edelsteine lagerten, entnahm Permoser zwei Skulpturenfragmente. Getra-
gen von einem sitzenden Satyr, den
Permoser selbst schuf, entstand so um
1724 für das Schatzkammermuseum
Augusts des Starken ein neues, geist-
reiches Kunstwerk voll derbem Witz.

Permoser took two sculptural fragments from the »store« of the Green
Vault, where broken objects of art and
untreated gems were housed. The
resulting piece is carried by a sitting
satyr created by Permoser himself.
Thus a new jocular art work full of
coarse wit was added to the treasure
chamber museum of August the
Strong around 1724.

A partir du »stock« de la Voûte Verte,
dans lequel étaient entreposées des
œuvres d'art brisées et des pierres précieuses pas encore travaillées, Permoser préleva deux fragments de sculpture. Portée par un satyre assis, que
Permoser créa lui même, fut créée vers
1724 une nouvelle œuvre pleine
d'esprit et de gaillardise.

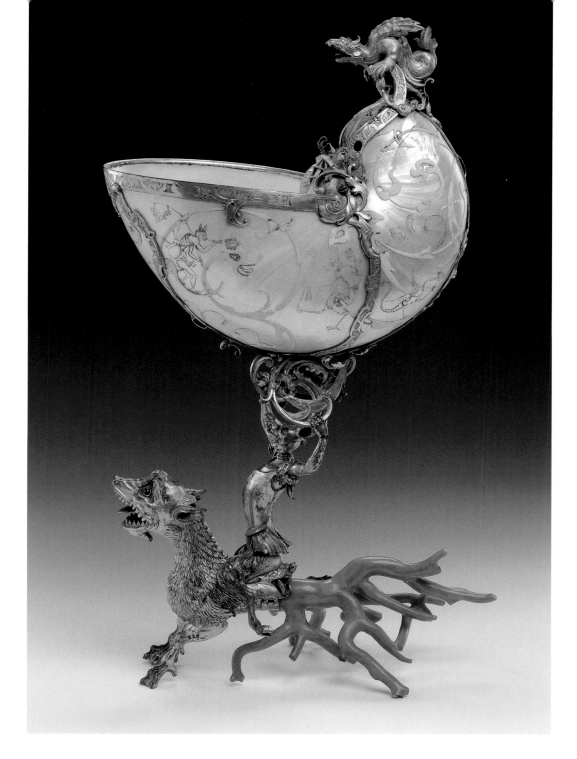

Auch der Hofjuwelier Johann Heinrich Köhler bediente sich 1724 des großen »Vorrates« an Goldschmiedeteilen vergangener Zeiten. Er fand dort eine um 1650 in Amsterdam kunstvoll bearbeitete, zerbrechliche Nautilusschale sowie eine zu Beginn des 17. Jahrhunderts wohl in Nürnberg geschaffene skurrile Fußgruppe. Miteinander verbunden bilden sie einen prächtigen neuen Nautiluspokal, der dem augusteischen Museum im Grünen Gewölbe zur Zierde gereichte.

The court jeweller Johann Heinrich Köhler also helped himself in 1724 from the large »store« of goldsmith pieces from former times. There he found a fragile nautilus bowl which was artistically decorated in Amsterdam around 1650 as well as an odd foot group created in Nuremberg at the beginning of the 17th century Linked to one another, they form a splendid new nautilus goblet adorning August's museum in the Green Vault.

Johann Heinrich Köhler, joaillier de la cour, préleva aussi dans le grand »stock« des pièces d'orfèvrerie en 1724. Il y trouva une coupe en nautile fragile et artistiquement travaillée vers 1650 à Amsterdam de même qu'un grotesque groupe pédestre créé au début du l7ième siècle à Nuremberg. Ensemble, ces deux pièces constituent une nouvelle coupe nautile splendide, qui embellit le musée augustin de la Voûte Verte.

1707 entstand nach einem Entwurf
von Balthasar Permoser in Berlin dieser ungewöhnliche Nautiluspokal auf
einem Satyrschaft. 1714 signierte
Johann Andreas Thelot in Augsburg
das Prunkbecken mit ausgelassenem
Bacchusfest. Beide Arbeiten vereinen
künstlerisch verschwenderischen
Detailreichtum mit meisterhafter
handwerklicher Bearbeitung. Mit diesen beiden zweckfreien Prunkgegen-
ständen besitzt das Grüne Gewölbe
zwei Hauptwerke der europäischen
Goldschmiedekunst des Spätbarock.

In 1707 this unusual nautilus goblet
with a satyr shaft was created according to a design by Balthasar Permoser in Berlin. Johann Andreas Thelot
signed the splendid basin presenting
an exuberant Bacchus festival in Augsburg in 1714. Both works unite an
artistically lavish abundance of detail
with masterly craftsmanship. These
two objects of splendour, which serve
no practical function, represent masterpieces of European goldsmith art of
the late Baroque in the Green Vault.

En 1707 fut créée à Berlin d'après un
croquis de Balthasar Permoser, cette
coupe nautile insolite sur pied en
forme de satyre. Johann Andreas Thelot signa en 1714 à Augsbourg le bassin luxueux à bacchanale mutine. Les
deux œuvres réunissent une richesse
artistique riche en détails et un travail
artisanal magistral. La Voûte Verte
possède avec ces deux objets d'apparat,
deux œuvres maîtresses de l'orfèvrerie
européenne du baroque tardif.

August der Starke liebte die verspielten Groteskfiguren, von denen er eine große Anzahl aus Frankfurt am Main und Berlin erwarb. Die kostbar gefaßten, miniaturhaft kleinen Statuetten gehen in ihrer Gestaltung zumeist von der bizarren Form einer krüppelig verwachsenen, ungewöhnlich großen Perle aus. Die phantasievoll-humorigen Figuren und Figurengruppen füllten das intime Eckkabinett des Grünen Gewölbes, das so zum Vorbild der späteren Porzellankabinette wurde.

August the Strong loved playful, grotesque figurines and acquired a great number of them in Frankfurt am Main and Berlin. The design of the preciously set miniature statuettes is usually determined by the bizarre shape of an exceptionally large, irregular pearl. The imaginative, comical figures and figure groups filled the intimate corner cabinet of the Green Vault which became the example for subsequent porcelain cabinets.

Auguste le Fort aimait les figures grotesques dont bon nombre furent acquises par lui à Francfort et à Berlin. Les statuettes miniatures précieusement travaillées proviennent d'après le façonnement de leurs formes, d'une perle inhabituellement grosse et irrégulière. Les figures et groupes de figures pleines de fantaisie et d'humour, emplissaient le cabinet d'angle intime de la Voûte Verte, qui devînt ainsi le modèle du futur cabinet de porcelaine.

Eine der Aufgaben des Hofjuweliers
Köhler war es, Elfenbeinstatuetten mit
Darstellungen von Handwerkern und
anderem gemeinen Volk kostbar in
Gold und Silber zu fassen. Der arbei-
tende Töpfer aus bemaltem Elfenbein
ist so naturgetreu gearbeitet, daß sogar
die Töpferscheibe mittels eines Lauf-
werkes in Bewegung gesetzt werden
konnte.

One of the tasks of the court jeweller
Köhler was to preciously set in gold
and silver ivory statuettes depicting
craftsmen and other common people.
The working potter of painted ivory
was so faithfully created that even the
potter's wheel could be moved by
means of a mechanism.

L'une des tâches du joaillier de la cour,
Köhler, était de façonner des statuettes
d'ivoire représentant des artisans et
autres membres du peuple en or et en
argent. Le potier à l'ouvrage, travaillé
en ivoire peint est fait de façon telle-
ment fidèle à la réalité que même le
tour du potier pouvait entrer en mou-
vement à l'aide d'un mécanisme.

Johann Georg Köhler war neben Dinglinger der bedeutendste Juwelier am Dresdener Hof. Neben prunkvollen Ziergefäßen schuf dieser hervorragende Künstler Uhrgehäuse und Juwelierplastik, fertigte zahlreiche Sockel für Elfenbein- und Edelsteinstatuetten und war am Grünen Gewölbe als schöpferischer Restaurator tätig.

Apart from Dinglinger, Johann Georg Köhler was the most important jeweller at the Dresden court. In addition to splendid decorative items, this eminent artist created clock houses and jewelled sculptures, manufactured numerous bases for ivory and gem statuettes and creatively restored pieces of art in the Green Vault.

Johann Georg Köhler était aux côtés de Dinglinger le joaillier le plus important de la cour de Dresde. En plus de fastueux récipients d'ornement, cet artiste remarquable créa des boîtiers de montre et fabriqua de nombreux socles pour des statuettes en ivoire et en pierres précieuses et était actif à la Voûte Verte en tant que restaurateur et créateur.

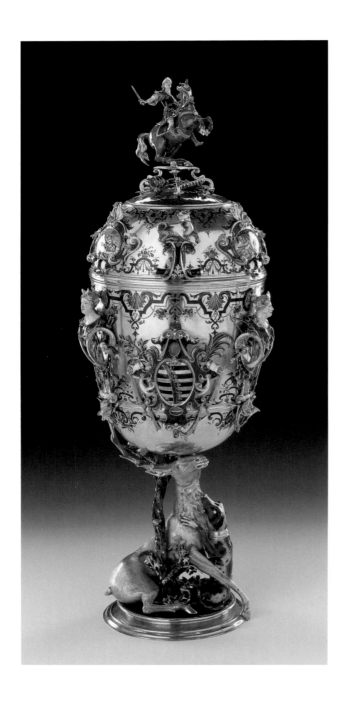

Zwischen 1712 und 1720 entstand in
der Werkstatt Dinglingers der aus
purem Gold und leuchtendem Email
bestehende Weißenfelser Jagdpokal.
Der Deckelpokal wurde für Herzog
Christian von Sachsen-Weißenfels
geschaffen und gelangte erst nach dem
Aussterben seiner Nebenlinie des
Hauses Wettin im Jahre 1746 in das
Grüne Gewölbe.

Between 1712 and 1720 the Weissenfels hunting goblet made of pure gold
and shining enamel was created in
Dinglinger's workshop. The lidded
cup was for Duke Christian of Saxony-
Weissenfels and came to the Green
Vault only in 1746 after this branch of
the Wettin dynasty had become
extinct.

Entre 1712 et 1720 fut créée dans
l'atelier de Dinglinger la coupe de
chasse de Weißenfels, toute d'or pur et
d'émail. La coupe à couvercle fut créée
pour le duc Christian de Saxe-
Weißenfels et parvint à la Voûte Verte
seulement après que sa lignée
collatérale de la maison Wettine se
fût éteinte.

Um 1717 schuf Abraham Pratsch den
hohen Deckelpokal mit Kameenbesatz. Er wird von einer aus Bergkristall
geschnittenen Athena-Büste bekrönt.
Das in seiner Art für die Augusburger
Goldschmiedekunst außergewöhnli-
che Gefäß ermöglichte August dem
Starken auf ausgesprochen wirkungs-
volle Weise, einen Teil seiner Sammlung geschnittener Steine zu präsentieren.

Around 1717 Abraham Pratsch created the tall, lidded goblet set with
cameos. It is crowned by a bust of
Athena cut in rock crystal. This vessel,
which is exceptional in its kind for
Augsburg goldsmith art, enabled
August the Strong to present part of
his collection of cut gems in a most
particularly effective manner.

Abraham Pratsch créa vers 1717 la
haute coupe à couvercle avec garniture
en camée. Elle est couronnée d'un
buste d'Athéna taillé dans le cristal de
roche. Ce récipient hors du commun
pour l'orfèvrerie d'Augsbourg permit à
Auguste le Fort de présenter une partie de sa collection en pierre taillée de
la manière la plus efficace qui soit.

Der Alchimist Friedrich Böttger diente seinem Kurfürst-König nicht nur als Entdecker des europäischen Hartporzellans, sondern auch als Erfinder neuester Technologie. In der von Böttger aufgebauten modernen Schleif- und Poliermühle an der Weißeritz bei Dresden entstand als Beweis ihrer Leistungsfähigkeit diese Millimeter dünn ausgeschliffene Schale mit blattförmigen Henkeln aus sächsischem Landedelstein.

The alchemist Friedrich Böttger served the elector-king not only as the discoverer of European hard-fired porcelain but also as the inventor of most modern technology of that time. This bowl, with leaf-shaped handles of Saxon rural gems, was ground wafer-thin and had its origin in the modern grinding and polishing mill developed by Böttger on the Weisseritz River near Dresden. This artwork is testimony to the outstanding achievements of the mill.

L'alchimiste Friedrich Böttger découvrit non seulement la porcelaine dure européenne au service de son roi prince-électeur, il fut également un inventeur de technologies nouvelles. Dans le moulin à tailler et à polir, fabriqué par Böttger sur le Weißeritz à Dresde fut créée comme preuve de ses capacités cette coupe polie, d'une épaisseur de quelques millimètres avec des anses en forme de feuilles en pierres précieuses de la Saxe.

Das von dem brandenburgischen Alchimisten Kunckel von Löwenstern zur Produktionsreife entwickelte, um 1700 sehr begehrte Goldrubinglas wurde durch Böttger in Dresden noch einmal verbessert. August der Starke ließ die Flaschen in seinem Schatzkammermuseum als Zeugnis modernster sächsischer Technik aufstellen.

Gold ruby glass, which was brought to production by the Brandenburg alchemist Kunckel von Löwenstern, was very popular around 1700. Böttger further improved it in Dresden. August the Strong exhibited the bottles in his treasure chamber museum as evidence of most advanced Saxon technology.

Ce verre rubis très convoité vers 1700, développé jusqu'à sa complète finition par l'alchimiste brandebourgeois Kunckel de Löwenstein, fut amélioré encore une fois par Böttger. Auguste le Fort fit exposer les bouteilles dans son musée comme témoignage de la technique saxonne la plus moderne.

Johann Christoph Ludwig Lücke, der Schöpfer dieses tänzelnden Scaramuz, war eine der schillerndsten Künstlerpersönlichkeiten seiner Zeit. Der hochbegabte und vielseitige Bildhauer wirkte auch auf die Entwicklung der Porzellanplastik ein. Er gilt darüber hinaus als einer der letzten großen Meister der barocken Elfenbeinschnitzerei.

Johann Christoph Ludwig Lücke, the creator of this dancing scaramouche, was one of the most brilliant artists of his time. The highly talented and multifaceted sculptor also influenced the development of porcelain figurative art. He is furthermore regarded as one of the last great masters of Baroque ivory carving.

Johann Christoph Ludwig Lücke, le créateur de ce Scaramouche dansant, était l'une des personnalités artistiques les plus brillantes de son temps. Le sculpteur aux talents multiples influença aussi le développement de la plastique de la porcelaine. Il passe du reste, pour l'un des derniers grands maîtres du baroque en ce qui concerne la sculpture de l'ivoire.

Der auf einem von Wildschweinen gezogenen Wagen sitzende Hoftaschenspieler Joseph Fröhlich war über viele Jahrzehnte der bedeutendste Unterhaltungskünstler am sächsisch-polnischen Hof. Seine derben Streiche und sein natürlicher Witz verliehen ihm eine sehr hohe Popularität, die sich bei der Vielzahl seiner Porträts in fast allen Medien der bildenden Kunst widerspiegelt.

The court conjurer Joseph Fröhlich is sitting on a cart drawn by wild boars. For many decades he was the most important entertainer at the Saxon-Polish court. His coarse pranks and his natural wit provided him with great popularity, which is also reflected in the frequency with which he is portrayed in almost all areas of fine arts.

Le faiseur de tours assis sur une charrette tirée par des sangliers, Joseph Fröhlich, fut durant plusieurs décennies l'artiste de divertissement le plus important de la cour saxo-polonaise. Ses plaisanteries rudes et son astuce naturelle lui conférèrent une grande popularité qui se reflète dans la multiplicité de ses portraits dans presque tous les médias de l'art plastique.

Die Juwelengarnituren

The Sets of Jewellery
Les parures de joyaux

Die neun heute noch im Grünen Gewölbe erhaltenen Juwelengarnituren bildeten einen wesentlichen Bestandteil des sächsisch-polnischen Kronschatzes. Schmuckgarnituren, bei denen Knöpfe und Schnallen, Hutzier und Achselschleifen, Ordenskleinodien und Prunkwaffen, Schnupftabaksdosen und Taschenuhren einem einheitlichen Gestaltungswillen untergeordnet wurden, orientierten sich an der Mode des französischen Königshofes unter Ludwig XIV. Spätestens seit August der Starke die polnische Krone errungen hatte, gab er in großem Umfang solche Ensembles in Auftrag. Sie waren für ihn ein politischer Schmuck und veranschaulichten Macht, Reichtum und Anspruch des Kurfürst-Königs. Auch die anderen europäischen Könige und mächtigen Fürsten besaßen Garnituren ähnlicher Form. Sie haben sich aber allein im Grünen Gewölbe erhalten.

Über viele Generationen wurde an den Juwelengarnituren gearbeitet. Sie wurden den wechselnden Moden angepaßt und nach Bedürfnis des jeweiligen Trägers vergrößert oder verkleinert. Diese über das ganze 18. Jahrhundert verlaufende Umgestaltung und Vervollkommnung der Juwelengarnituren war der wichtigste Beitrag zum Grünen Gewölbe, den die Nachfolger Augusts des Starken leisteten. Sein Sohn August III. erwarb als treuer Erbe noch Prunkgefäße und Kabinettstücke, die von seinen Hofjuwelieren für das Schatzkammermuseum geschaffen worden waren. Das Erscheinungsbild des Grünen Gewölbes seines Vaters veränderte sich dadurch aber nicht mehr. Der neue Kurfürst-König widmete sich mehr dem Sammeln von Gemälden und Zeichnungen. So blieb das Schatzkammermuseum bis heute eine barocke Sammlung, die nur ganz vorsichtig mit weiteren Werken sächsischer Juwelier- und Goldschmiedekunst ergänzt wurde.

The nine sets of jewellery which still exist in the Green Vault today form an essential part of the Saxon-Polish crown treasure. Sets of jewellery, where buttons and buckles, hat decoration and lanyards, precious orders and splendid weapons, snuff boxes and pocket watches were governed by a uniform design, oriented themselves to the fashion of the French royal court under Louis XIV. Since August the Strong had achieved the Polish crown, he commissioned great numbers of such sets. For him they represented political decoration and exemplified the power, wealth and claims of the elector-king. Other European kings and mighty princes also possessed such sets. But they have been preserved only in the Green Vault. The sets of jewellery were created over many generations. They were adjusted to changing fashion and enlarged or reduced according to the need of the respective bearer. The alteration and completion of the jewellery sets, which took place throughout the entire 18th century, were the most important contribution to the Green Vault made by the successors of August the Strong. As faithful heir his son August III acquired vessels of splendour and chamber pieces which were created by his court jewellers for the treasure chamber museum. But this did not cause any changes to the appearance of his father's Green Vault. The new elector-king was devoted more to the collection of paintings and drawings. To this day the treasure chamber museum has remained a Baroque collection which was only cautiously supplemented by additional works of art by Saxon jewellers and goldsmiths.

Les neuf parures de joyaux conservées aujourd'hui encore dans la Voûte Verte constituaient un élément essentiel du trésor saxo-polonais de la couronne. Des parures de bijoux parmi lesquelles boutons et boucles, ornements à chapeaux et aiguillettes, médailles et ornements d'apparat, boîtes de tabac à priser et montres, soumis à une volonté de présentation homogène suivaient la mode de la cour royale française de Louis XIV. Au plus tard lors de l'attribution de la couronne de Pologne, Auguste le Fort commanda de telles parures en grand nombre. Elles représentaient pour lui un bijou politique et illustraient le pouvoir, la richesse et l'ambition du roi-électeur. Les autres rois d'Europe et souverains puissants possédaient des parures de formes semblables. Mais elles ne se sont conservées que dans la Voûte Verte. Plusieurs générations travaillèrent aux garnitures de bijoux. Elles furent adaptées aux modes changeantes et agrandies ou réduites selon les désirs de ceux qui les portaient. Le déroulement de la transformation et le perfectionnement des garnitures de joyaux au cours du 18ième siècle furent la contribution la plus importante que les successeurs d'Auguste le Fort apportèrent à la Voûte Verte. Son fils Auguste III acquit en héritier dévoué des récipients d'apparat et des pièces de cabinet, produits par son joaillier de la cour pour le musée du trésor public. Mais l'aspect de la Voûte Verte de son père ne changea pas pour autant. Le nouveau roi-électeur se dévoua plus à la collection de tableaux et dessins. C'est ainsi que le musée du trésor public resta jusqu'à nos jours une collection baroque à laquelle furent rajoutées avec prudence d'autres œuvres de joaillerie et d'orfèvrerie saxonne.

Das älteste Schmuckensemble ist die Saphirgarnitur, für die noch zu Lebzeiten Augusts des Starken eine Hutkrempe, die ein großartiger Saphir bekrönt, geschaffen wurde. Erst August III. erwarb für die immense Summe von 400 000 Talern den 41 Karat schweren »Dresdner Grünen« Diamanten. Der um 1768 ebenfalls in eine Hutkrempe eingefügte Stein ist der größte, von Natur aus grüne Diamant, der jemals gefunden wurde. Die Brillantgarnitur, zu der er gehörte, bildet die kostbarste der Juwelengarnituren des Grünen Gewölbes.

The oldest gem ensemble is a sapphire set for which a hat brim crowned by a splendid sapphire was created during the life of August the Strong. It was August III who purchased the »Dresden Green Diamond« for the immense sum of 400,000 Thaler. This precious 41 carat stone is the largest, naturally green diamond ever found and was added to the hat brim around 1768. The set of diamonds to which it belongs is the most precious gem ensemble of the Green Vault.

L'ensemble de bijoux le plus ancien est la parure de saphirs pour laquelle on créa, encore à l'époque d'Auguste le Fort, une bordure de chapeau couronnée de saphirs grandioses. C'est seulement Auguste III qui acquit le diamant »vert de Dresde« de 41 carats pour la somme énorme de 400 000 écus. La pierre qu'on inséra de même vers 1768 à la bordure d'un chapeau est le diamant naturellement vert le plus gros qu'on ait jamais trouvé. La parure de brillants à laquelle il appartenait constitue la parure de joyaux la plus précieuse de la Voûte Verte.

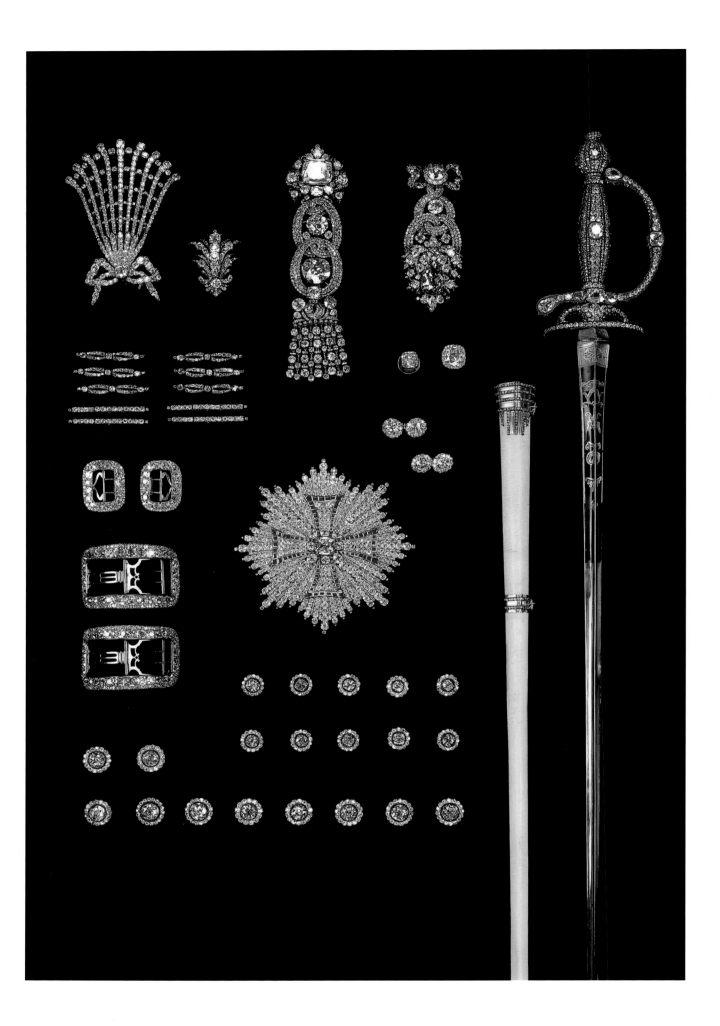

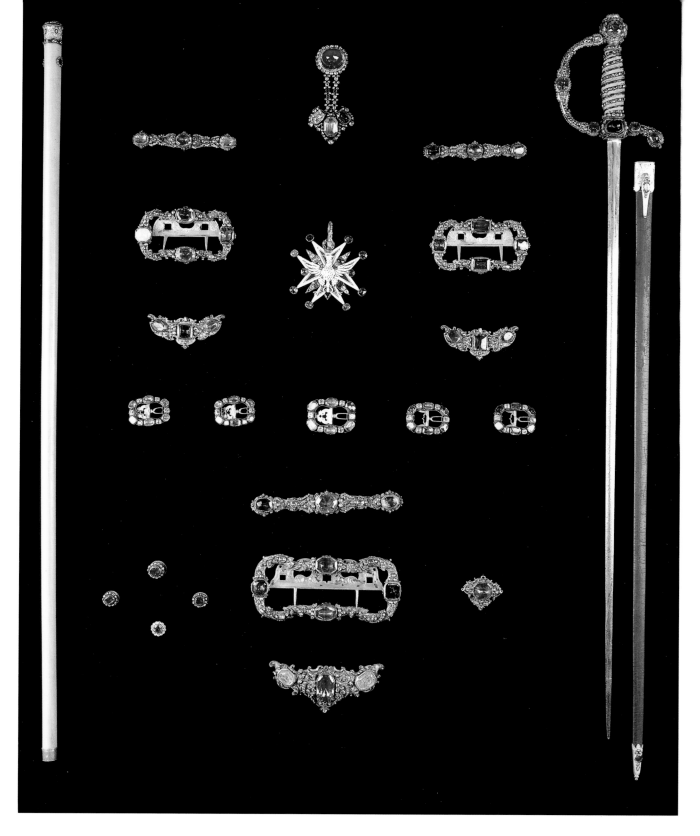

Zu den allgemeinen Bestandteilen der Juwelengarnituren, die bei Bedarf auf das jeweils ausgewählte Gewand aufgenäht wurden, gehörten verschiedenartige Knöpfe und Schnallen. Nicht fehlen durfte auch der polnische Weiße Adlerorden mit dem Ordensstern.

The general components of the jewellery sets, which were affixed to the respectively chosen outfit according to need, included various buttons and buckles. The Polish White Eagle Order with the star was an essential ingredient.

Parmi les différentes pièces parures de joyaux qui, selon la nécessité, étaient cousus sur des vêtements, on trouvait toutes sortes de boutons et de boucles. L'ordre de l'Aigle Blanc polonais avec l'étoile de l'ordre ne devait pas manquer.

Die wohl von Johann Melchior Dinglinger gearbeitete Taschenuhr der Karneolgarnitur, an deren goldenem Band zwei Siegel hängen, zählt zu den ungewöhnlichen und nur vereinzelt vorkommenden Bestandteilen einer königlichen Schmuckgarnitur. Die zu Beginn des 18. Jahrhunderts an den europäischen Höfen herrschende Vorliebe für Schildpatt führte in Dresden zur Schaffung einer aus diesem Material bestehenden Jagdgarnitur von außergewöhnlicher Schönheit. Zu diesem Schmuckensemble wurde auch ein Notizbuch für August den Starken gefertigt.

The pocket watch of the carnelian set, which is believed to have been made by Johann Melchior Dinglinger, has two seals suspended from its golden chain. It belongs to the unusual and rare components of a royal jewellery set. The preference for tortoise shell which existed at European courts at the beginning of the 18th century resulted in the creation of an exceptionally beautiful hunting set made of this material in Dresden. This decorative ensemble was supplemented by a notebook for August the Strong.

La montre issue de la parure en coraline, probablement travaillée par Johann Melchior Dinglinger, au bracelet en or auquel pendent deux sceaux, compte parmi les éléments les plus inhabituels et rarement présents dans une parure royale de bijoux. La préférence qui régnait au début du 18ième siècle dans les cours d'Europe pour l'écaille conduisit à Dresde à la création dune garniture de chasse dans ce matériau dune beauté hors du commun. On ajouta à cet ensemble de bijoux, un carnet confectionné pour Auguste le Fort.

Paradedegen gehörten zur Grundaus-
stattung des königlichen Schmuckes.
Sollte die Garnitur zu den am sächsischen Hof beliebten Jagdfesten getra-
gen werden, wurde dieser durch einen
Hirschfänger ergänzt. Die Smaragdgarnitur umfaßt so eine prachtvolle degenartige Jagdwaffe mit beid-
seitig geschliffener Schneide.

Swords of splendour form the basis of
royal jewellery. If the set was worn
during hunting festivals popular at the
Saxon court, it was augmented by a
hunting knife. The emerald set com-
prises such a magnificent Hirschfänger
(hunting dagger), the blade of which
has been ground on both sides.

Les épées de parade font partie de la
base de la parure royale. Lorsqu'on
voulait porter cette garniture lors des
fêtes de la chasse tant appréciées à la
cour saxonne, on les complétait par un
couteau de chasse. La parure d'émeraude contient ainsi une arme de
chasse splendide avec un tranchant
biseautée des deux côtés.

Um die Mitte des 18. Jahrhunderts wurden durch den Kurfürst-König August III. fünf Pietradura-Tafeln dem Bestand des Grünen Gewölbes eingefügt. Zwei dieser vor 1748 in Florenz gearbeiteten Bildtafeln mit Papageien, Früchten und Blumen in kunstvoller Einlegearbeit waren ein Geschenk des Kurprinzen Friedrich Christian zum Namenstag seines Vaters im Jahre 1755.

In the middle of the 18th century Elector-King August III enriched the inventory of the Green Vault with five Pietra dura boards. Two of these pictorial panels, created in Florence prior to 1748 and adorned with artistic intarsia of parrots, fruit and flowers, were a gift of Elector-Prince Friedrich Christian on the name day of his father in 1755.

Le roi-électeur Auguste III fit rajouter au milieu du 18ième siècle environ, cinq tableaux en Pietra dura à l'effectif de la Voûte Verte. Deux de ces tableaux travaillés à Florence avant 1748 avec des perroquets, des fruits et des fleurs richement incrustés étaient un présent du prince-électeur Friedrich Christian à son père à l'occasion de sa fête en 1755.

Erst im 20. Jahrhundert gelangten einige Dosen des in den letzten Jahrzehnten des 18. Jahrhunderts in Dresden wirkenden Goldschmieds Johann Christian Neuber in das Grüne Gewölbe. Bei diesen Arbeiten handelt es sich nicht allein um hervorragende Zeugnisse der langen Tradition der sächsischen Juwelierkunst. Sie gehören auch zu den reifsten kunsthandwerklichen Schöpfungen des deutschen Klassizismus vor 1800.

Some of the boxes created by the goldsmith Johann Christian Neuber who worked in Dresden in the last decades of the 18th century reached the Green Vault only in the 20th century. These works are not only outstanding evidence of the long tradition of Saxon jewellery art, but they also represent the most mature creations of craftsmanship of German classicism prior to 1800.

Ce n'est qu'au 20ième siècle qu'arrivèrent à la Voûte Verte quelques boites de l'orfèvre Johann Christian Neuber, qui travailla à Dresde durant les dernières décennies du l8ième siècle. II ne s'agit pas seulement dans ces oeuvres d'un témoignage exceptionnel de la longue tradition en joaillerie saxonne. Elles appartiennent aussi aux créations les plus mures du classicisme allemand d'avant 1800.

Verzeichnis der abgebildeten Kunstwerke

List of Depicted Work of Arts

Index des œuvres illustrées

92

32 Schlafende Nymphe, die von einem Faun betrachtet wird
Bronze
Giovanni da Bologna
und Mitarbeiter
Florenz, vor 1587
H. 22 cm

33 Kanne
Lapislazuli
Entwurf: wohl Bernardo
Buonatlenti
Hofwerkstatt Florenz,
1575–1580
H. 27 cm

34 Deckelpokal
Bergkristall, Gold,
Email, Rubine
Steinschliff: Freiburg im
Breisgau, vor 1588
Fassung: Art des David
Altenstetter
Augsburg, vor 1588
H. 27 cm

35 Henkelkanne mit eingeschnittener Teufelsgestalt
Bergkristall, Gold,
Email, Edelsteine
Werkstatt der Sarachi
Mailand, um 1580
H. 24,7 cm

37, l. Anhänger: Kirschkern mit geschnitzten Köpfen
Gold, Email, Perle
Deutschland, vor 1589
H. 4,5 cm
37, r. Hutzier mit kursächsischem Wappen
Gold, Email, Edelsteine
vielleicht Gabriel Gipfel
Sachsen, um 1610
H. 12,2 cm

38 Deckelpokal mit Diana und Aktäon
Bergkristall, Silber,
vergoldet
Steinschnitt: Caspar
Lehmann
Dresden, 1606
H. 36,5 cm

39, o. Ovale Schale
Heliotrop, Gold, Email
Steinschnitt: Ottavio
Miseroni
Fassung: Jan Vermeyen
Prag, 1600–1605
H. 10,5 cm
39, u. Schale mit Neptun als Bekrönungsfigur
Jaspis, Gold, Email,
Edelsteine, Perle
wohl Mailand, Ende 16.
Jahrhundert
H. 14 cm

40 Spiegelrückseite mit Bildnis der Kurfürstin Sophie
Gold, Email, Spiegel-
glas, Ölminiatur auf
Silber
wohl Deutschland,
Anfang 17. Jahrhundert
H. 18 cm

41 Großer Schmuckkasten der Kurfürstin Sophie
Holz, Silber, teilweise
vergoldet, Perlmutter,
Samt, Seide, Glas,
Edelsteine
Entwurf: Wenzel Jam-
nitzer
Ausführung: Nicolaus
Schmidt
Nürnberg, um 1585
H. 50 cm

---

32 Sleeping nymph watched by a faun
Bronze
Giovanni da Bologna
and colleagues
Florence, prior to 1587
H. 8.7 in.

33 Pitcher
Lapis lazuli
Design: probably
Bernardo Buontalenti
Court workshop
Florence, 1575-1580
H. 10.6 in.

34 Lidded goblet
Rock crystal, gold,
enamel, rubies
Stone-cutting:
Freiburg in Breisgau,
prior to 1588
Setting: style of David
Altenstetter, Augsburg,
prior to 1588
H. 10.6 in.

35 Pitcher with handles; carved with shape of devil
Rock crystal, gold,
enamel, gems
Sarachi workshop,
Milan, around 1580
H. 9.7 in.

37 l. Pendant; cherry pit carved with heads
Gold, enamel, pearl
Germany, prior to 1589
H. 1.8 in.
37 r. Hat decoration with coat-of-arms of the Saxon electorate
Gold, enamel, gems
Possibly by Gabriel
Gipfel, Saxony,
around 1610
H. 4.8 in.

38 Lidded goblet with Diana and Actaeon
Rock crystal, silver,
gilded
Stone-carving:
Caspar Lehmann
Dresden, 1606
H. 14.4 in.

39 t. Oval bowl
Heliotrope, gold, enamel
Stone-carving:
Ottavio Miseroni
Setting:
Jan Vermeyen, Prague,
1600–1605
H. 4.1 in.
39b. Bowl with Neptune as crowning figurine
Jasper, gold, enamel,
gems, pearl
Probably Milan, end of
the 16th century
H. 5.5 in.

40 Rear side of a mirror with likeness of Electress Sophie
Gold, enamel, mirror
glass, oil miniature on
silver. Probably
Germany, beginning
of the 17th century
H. 7.1 in.

41 Large jewellery box of Electress Sophie
Wood, silver, partly
gilded, mother-of-pearl,
velvet, silk, glass, gems
Design: Wenzel
Jamnitzer
Execution: Nicolaus
Schmidt
Nuremberg, around
1585
H. 19.7 in.

---

32 Nymphe endormie, observé par un faune
Bronze; Giovanni da
Bologna et collaborateur
Florence, avant 1587
H. 22 cm

33 Broc
Lapis-lazuli
Esquisse: Bernardo
Buontalenti
Atelier de la cour
Florence, 1575 – 1580
H. 27 cm

34 Coupe à couvercle
Cristal de roche, or,
émail, rubis
Taille: Fribourg en
Brisgau, avant 1588
Monture: style de David
Altenstetter
Augsbourg, avant 1588
H. 27 cm

35 Pot à anses avec figures de diables
Cristal de roche, or,
émail, pierres précieuses
Milan, vers 1580
H. 24,7 cm

37, g. Pendentif: noyau de cerise avec têtes sculptées
Or, émail, perles
Allemagne, avant 1589
H. 4,5 cm
37, d. Ornement à chapeau avec écusson de l'électeur saxon
Or, émail, pierres
précieuses
Peut-être Gabriel Gipfel
Saxe, vers 1610
H. 12,2 cm

38 Coupe à couvercle avec Diane et Aktaion
Cristal de roche,
argent doré
Taille de la pierre:
Caspar Lehmann
Dresde, 1606
H. 36,5 cm

39, h. Coupe ovale
Héliotrope, or, émail
Taille de la pierre:
Ottavio Miseroni
Monture: Jan Vermeyen
Prague, 1600-1605
H. 10,5 cm
39, b. Coupe avec Neptune en figure de couronne
Jaspe, or, émail, pierres
précieuses, perle
Milan, fin du l6ième
siècle; H. 14 cm

40 Verso de miroir avec portrait de la princesse électrice Sophie
Or, émail, verre de
miroir, miniature à
l'huile sur argent
Probablement
Allemagne, début du
l7ième siècle; H. 18 cm

41 Grand coffret à bijoux de la princesse-électrice Sophie
Bois, argent en partie
doré, nacre, velours, soie,
verre, pierres précieuses
Esquisse: Wenzel
Jamnitzer
Exécution: Nicolaus
Schmidt
Nuremberg, vers 1585
H. 50 cm

42 Daphné comme récipient à boisson
Argent partiellement
doré, corail
Abraham Jamnitzer
Nuremberg, fin du
l6ième siècle
H. 68 cm

---

42 Daphne als Trinkgefäß
Silber, teilweise
vergoldet, Koralle
Abraham Jamnitzer
Nürnberg,
Ende 16. Jahrhundert
H. 68 cm

43 Diana auf dem Kentauren als Automatenwerk
Silber, teilweise ver-
goldet, Email,
Edelsteine, Ebenholz
Hans Jacob I. Bachmann
Augsburg, 1600–1610
H. 51 cm

44 See-Einhorn und Seepferd als Trinkgefäß
Silber, vergoldet,
Seeschneckengehäuse
Elias Geyer
Leipzig, vor 1610 und
1614–1616
H. 19,8 und 18,9 cm

45 Becken und Kanne
Holz, Perlmutter,
Asphaltlack, Silber,
vergoldet
Perlmutterarbeit: Indien
Fassung: Elias Geyer
Leipzig, 1611–1613
Dm. Becken 60,1 cm

46 Deckelpokal als Christophorus mit der Himmelskugel
Silber, vergoldet
Elias Lenker
Augsburg, 1626–1629
H. 64 cm

47 Elefant mit Kriegsturm als Trinkgefäß
Silber, vergoldet,
Perlmutter, Edelsteine
Urban Wolff
Nürnberg, 1585–1598
H. 52 cm

48 Kanne
Silber, vergoldet
Daniel Kellerthaler
Dresden, vor 1629
H. 41 cm

49 Kanne
Silber, vergoldet
Christoph Jamnitzer
Nürnberg, vor 1610
H. 46,5 cm

50 Fregatte
Elfenbein, Gold, Eisen
signiert Jacob Zeller
Dresden, 1620
H. 115 cm

51 Tscherpertasche
Leder, Silber, vergoldet,
Email, Edelsteine
Samuel Klemm
Freiberg, 1677
B. 17 cm

52 Kleiner Deckelkrug und hohe Kanne
Bernstein, Silber
vergoldet, Email, Perlen
sowie Gold, Email,
Diamanten
Georg Schreiber und
Umkreis
Königsberg, 1. Viertel
16. Jahrhundert
H. 13,4 und 20,5 cm

53 Figurengruppe der drei Grazien
Bernstein
Christoph Maucher
Danzig, um 1680
H. (ohne Sockel) 19 cm

---

42 Daphne as drinking vessel
Silver, partly gilded,
coral
Abraham Jamnitzer
Nuremberg, end of the
16th century
H. 26.8 in.

43 Diana on a centaur with drive mechanism
Silver, partly gilded,
enamel, gems, ebony
Hans Jacob I. Bachmann
Augsburg, 1600-1610
H. 20.1 in.

44 Sea unicorn and sea horse as drinking vessels
Silver, gilded, sea snail
shell
Elias Geyer
Leipzig, prior to 1610
and 1614–1616
H. 7.8 in. and 7.4 in.

45 Bowl and pitcher
Wood, mother-of-pearl,
asphalt varnish, silver,
gilded
Mother-of-pearl work:
India
Setting: Elias Geyer
Leipzig, 1611 – 1613
Basin diameter: 23.7 in.

46 Lidded goblet as St. Christopher carrying the celestial sphere
Silver, gilded
Elias Lenker
Augsburg, 1626 – 1629
H. 25.2 in.

47 Elephant with war tower as drinking vessel
Silver, gilded,
mother-of-pearl, gems
Urban Wolff
Nuremberg, 1585 – 1598
H. 20.5 in.

48 Pitcher
Silver, gilded
Daniel Kellerthaler
Dresden, prior to 1629
H. 16.1 in.

49 Pitcher
Silver, gilded
Christoph Jamnitzer
Nuremberg,
prior to 1610 H. 18.3 in.

50 Frigate
Ivory, gold, iron
Signed by Jacob Zeller
Dresden, 1620
H. 45.3 in.

51 Miner's bag
Leather, silver, gilded,
enamel, gems
Samuel Klemm
Freiberg, 1677
W. 6.7 in.

52 Small lidded jug and tall pitcher
Amber, gilded silver,
enamel, pearls as well as
gold, enamel, diamonds
Georg Schreiber and
colleagues Königsberg,
1st quarter of the 16th
century
H. 5.3 in and 8.1 in.

53 Sculptural group of the Three Graces
Amber
Christoph Maucher
Danzig,
around 1680
H. (without base) 7.5 in.

---

43 Diane sur le centaure, automate
Argent partiellement
doré, émail, pierres
précieuses, bois d'ébène
Hans Jacob I. Bachmann
Augsbourg, 1600 – 1610
H. 51 cm

44 Licorne de mer et hippocampe comme récipients à boisson
Argent doré, coquilles
d'escargots de mer
Elias Geyer
Leipzig, avant 1610 et
1614 – 1616
H. 19,8 et 18,9 cm

45 Bassin et broc
Bois, nacre, asphalte,
argent doré
Travail du nacre: Inde
Monture: Elias Geyer
Leipzig, 1611 – 1613
D. du bassin 60,1 cm

46 Coupe à couvercle avec Saint Christophe portant le globe céleste
Argent doré
Elias Lenker
Augsbourg, 1626 – 1629
H. 64 cm

47 Eléphant avec tour de guerre comme récipient à boisson
Argent doré, nacre,
pierres précieuses
Urban Wolff
Nuremberg, 1585 – 1598
H. 52 cm

48 Broc
Argent doré
Daniel Kellerthaler
Dresde, avant 1629
H. 41 cm

49 Broc
Argent doré
Christoph Jamnitzer
Nuremberg, avant 1610
H. 46,5 cm

50 Frégate
Ivoire, or, fer
Signé Jacob Zeller
Dresde, 1620
H. 115 cm

51 Poche à couteau
Cuir, argent doré, émail,
pierres précieuses
Samuel Klemm
Freiberg, 1677
L. 17 cm

52 Petite cruche à couvercle et haut broc
Ambre jaune, argent
doré, émail, perles, or,
diamants
Georg Schreiber et
entourage
Königsberg, premier
quart du l6ième siècle
H. 13,4 et 20,5 cm

53 Groupe de figures des trois Grâces
Ambre jaune
Christophe Maucher
Danzig, vers 1680
H. (sans piédestal) 19 cm

54 Mercure et angelot
Ivoire
Signé Abraham
Lenckhart
Vienne, milieu du
l7ième siècle
H. 27,5 cm

54 **Merkur mit Putto**
Elfenbein
signiert Abraham
Lenckhardt
Wien,
Mitte 17. Jahrhundert
H. 27,5 cm

55 **Raub der Sabinerin**
Elfenbein
wohl Melchior Barthel
Venedig oder Dresden,
um 1670
H. 43,7 cm

57, o. **Bildnis Augusts
des Starken von der
Prunkschale mit dem
Kämpfenden Herkules**
Silber, vergoldet, Email,
Edelsteine
Emailmalerei: Georg
Friedrich Dinglinger
Dresden,
wohl 1708–1731
57, u. **Sockelbereich
des Kabinettstücks
»Obeliscus Augustalis«**
Jaspis, Kelheimer Stein,
Marmor, Gold, Silber,
teilweise vergoldet,
Email, Gemmen usw.
Entwurf und Gold-
schmiedearbeit: Johann
Melchior Dinglinger
Emailmalerei: Georg
Friedrich Dinglinger
Steinschnitt: Christoph
Hübner
Dresden, vor 1722

58 **Frühling und
Herbst aus der Gruppe
der vier Jahreszeiten**
Elfenbein
Balthasar Permoser
Florenz oder Dresden,
1685–1690
H. jeweils 22,5 cm

59 **Herkules und
Omphale**
Elfenbein
signiert Balthasar
Permoser
Dresden, um 1700
H. 26 cm

60 **Hl. Georg, Kleinod
des Englischen Hosen-
bandordens**
Gold, Email, Edelsteine
Johann Melchior
Dinglinger
Dresden, 1692–1694
H. 9,5 cm

61, o. **Henkeldose**
Gold, Email, Diamanten
Johann Melchior
Dinglinger
Dresden 1692–1695
H. 7 cm
61, u. **Goldpulver-
büchse**
Gold, Email, Diamanten
Johann Melchior
Dinglinger
Dresden, 1701–1708
H. 5,7 cm

62 **Das Goldene
Kaffeezeug**
Holz, Gold, Silber,
vergoldet, Email,
Elfenbein, Edelsteine
Entwurf und Gold-
schmiedearbeit: Johann
Melchior Dinglinger
Email: Georg Friedrich
Dinglinger
Skulptur: Paul
Heermann
Dresden, 1697–1701
H. 96 cm, B. 76 cm

54 **Mercury with putto**
Ivory
Signed by Abraham
Lenckhardt, Vienna,
middle of the
17th century
H. 10.8 in

55 **Rape of the Sabine**
Ivory
Probably by Melchior
Barthel,
Venice or Dresden,
around 1670 H. 17.2 in.

57 t. **Likeness of
August the Strong
from the splendid bowl
with fighting Hercules**
Silver, gilded, enamel,
gems
Enamel painting: Georg
Friedrich Dinglinger
Dresden
probably 1708–1731
57 b. **Base of the
chamber piece
Obeliscus Augussalis**
Jasper, Kelheim rock,
marble, gold, silver,
partly gilded, enamel,
gems etc.
Design and goldsmith
work: Johann Melchior
Dinglinger
Enamel painting: Georg
Friedrich Dinglinger
Stone-cutting: Christoph
Huebner
Dresden, prior to 1722

58 **Spring and fall from
the sequence of the
four seasons**
Ivory
Balthasar Permoser
Florence or Dresden,
1685 to 1690
each 8.9 in.

59 **Hercules and
Omphale**
Ivory
Signed by Balthasar
Permoser
Dresden, around 1700
H. 10.2 in.

60 **St. George, treasure
of the English Order of
the Garter**
Gold, enamel, gems
Johann Melchior
Dinglinger, Dresden,
1692–1694 H. 3.7 in.

61 t. **Box with handle**
Gold, enamel, diamonds
Johann Melchior
Dinglinger, Dresden,
1692–1695 H. 2.8 in.
61 b. **Gold powder box**
Gold, enamel, diamonds
Johann Melchior
Dinglinger, Dresden,
1701–1708 H. 2.2 in.

62 **Golden coffee set**
Wood, gold, silver,
gilded, enamel, ivory,
gems
Design and goldsmith
work: Johann Melchior
Dinglinger
Enamel: Georg
Friedrich Dinglinger
Sculpture: Paul
Heermann
Dresden, 1697–1701
H. 37.8 in, W. 29.9 in.

55 **L'enlèvement d'une
Sabine**
Ivoire
Melchior Barthel
Venise ou Dresde
vers 1670
H. 43,7 cm

57, h **Portrait
d'Auguste le Fort de la
Coupe d'apparat avec
Hercule luttant**
Argent doré, émail,
pierres précieuses
Peinture sur émail:
Georg Friedrich
Dinglinger
Dresde, 1708–1731
57, b **Bande de socle de
la pièce de cabinet
»obeliscus Augustalis«,**
Jaspe, pierre, marbre, or,
argent en partie doré,
émail, gemmes etc.
Esquisse et orfèvrerie:
Johann Melchior
Dinglinger
Peinture sur émail:
Georg Friedrich
Dinglinger
Taille de pierre:
Christophe Hübner
Dresde, avant 1722

58 **Printemps et
automne du groupe
»les quatre saisons«**
Ivoire
Balthasar Permoser
Florence ou Dresde,
1685–1690
H. respectivement
22,5 cm

59 **Hercule et Omphale**
Ivoire
Signé Balthasar
Permoser
Dresde, vers 1700
H. 26 cm

60 **Saint Georges, bijou
de l'ordre anglais de la
jarretière**
Or, pierres
précieuses
Johann Melchior
Dinglinger
Dresde, 1692–1694
H. 9,5 cm

61, h. **Botte à anses**
Or, émail, diamants
Johann Melchior
Dinglinger
Dresde, 1692–1695
H. 7 cm
61, b. **Bourse à poudre
d'or**
Or, émail, diamants
Johann Melchior
Dinglinger
Dresde, 1701–1708
H. 5,7 cm

62 **Le service
à café doré**
Bois, or, argent doré,
émail, ivoire, pierres
précieuses
Esquisse et orfèvrerie:
Johann Melchior
Dinglinger
Sculpture: Paul
Heermann
Dresde, 1697–1701
H. 96 cm, L. 76 cm

63 **Coupe d'ornement
avec le bain de Diane**
Chalcedon, or, argent,
acier, ivoire, émail,
diamants, perles
Esquisse et orfèvrerie:
Johann Melchior
Dinglinger
Sculpture d'ivoire:
Balthasar Permoser
Email: Georg Friedrich
Dinglinger
Dresde, 1704; H. 38 cm

63 **Zierschale mit dem
Bad der Diana**
Chalzedon, Gold, Silber,
Stahl, Elfenbein, Email,
Diamanten, Perlen
Entwurf und Gold-
schmiedearbeit: Johann
Melchior Dinglinger
Elfenbeinskulptur:
Balthasar Permoser
Email: Georg Friedrich
Dinglinger
Dresden, 1704
H. 38 cm

64 und 65 **Detailansich-
ten aus »Der Thron
des Großmoguls
Aureng-Zeb«**
Holz, Gold, Silber,
teilweise vergoldet,
Email, Edelsteine,
Perlen, Lackmalerei
Johann Melchior Ding-
linger und Werkstatt
Dresden, 1701–1708
H. 58 cm, T. 114 cm,
B. 142 cm

66 **Pokal mit der
Mohrin**
Rhinozeroshorn, Gold,
Silber, Email, Diamanten
Schnitzerei: Benjamin
Thomae
Fassung: Johann
Melchior Dinglinger
Emailmalerei: Georg
Friedrich Dinglinger
Dresden, um 1709
H. 37 cm

67 **Zierschale mit dem
Kinderbacchanal**
Achat, Gold, Email,
Perlen, Diamanten
signiert Johann Melchior
Dinglinger
Email: Georg Friedrich
Dinglinger
Dresden, 1711
H. 32,5 cm

68 **Zwei afrikanische
Krieger**
Ebenholz, Gold, Silber,
vergoldet, Email,
Edelsteine
Skulptur: Balthasar
Permoser
Fassung: Johann
Melchior Dinglinger
Dresden, 1690–1700
H. 9,5 und 10 cm

69 **»Mohr« mit der
Smaragdstufe**
Birnbaumholz, lackiert,
Silber, vergoldet, große
Smaragdstufe,
Edelsteine, Schildpatt
Skulptur: Balthasar
Permoser
Fassung: Dinglinger-
Werkstatt
Schildpattfurnier:
Wilhelm Krüger
Lackierung: wohl Martin
Schnell
Dresden, wohl 1724
H. 63,8 cm

70 **Sitzender Satyr**
Buchsbaum und andere
Hölzer, Elfenbein
Büste eines Narren-
zepters: Flamen,
um 1600
Kinderbüste: Deutsch-
land, 1. Hälfte
16. Jahrhundert
Satyr: Balthasar
Permoser
Dresden, wohl 1724
H. 27,5 cm

63 **Decorative bowl
representing the
bathing Diana**
Chalcedony, gold, silver,
steel, ivory, enamel,
diamonds, pearls
Design and goldsmith
work: Johann Melchior
Dinglinger
Ivory sculpture:
Balthasar Permoser
Enamel: Georg
Friedrich Dinglinger
Dresden, 1704
H. 15 in.

64 and 65 **Two details
from The Throne of
the Great Mogul
Aureng-Zeb**
Wood, gold, silver, partly
gilded, enamel, gems,
pearls, lacquer painting
Johann Melchior
Dinglinger and work-
shop, Dresden,
1701–1708
H. 22.8 in., D. 44.88 in.,
W. 55.9 in.

66 **Goblet with Moo-
rish woman**
Rhinoceros horn, gold,
silver, enamel, diamonds
Carving: Benjamin
Thornae
Setting: Johann
Melchior Dinglinger
Enamel painting: Georg
Friedrich Dinglinger
Dresden,
around 1709 H. 14.6 in.

67 **Decorative bowl
with children's
bacchanalia**
Agate, gold, enamel,
pearls, diamonds
Signed by Johann
Melchior Dinglinger
Enamel: Georg
Friedrich Dinglinger
Dresden, 1711
H. 12.8 in.

68 **Two African
warriors**
Ebony, gold, silver,
gilded, enamel, gems
Sculpture: Balthasar
Permoser
Setting: Johann
Melchior Dinglinger
Dresden, 1690–1700
H. 3.7 in. and 3.9 in.

69 **»Moor« with eme-
rald stair**
Pear tree wood,
varnished, silver, gilded,
large emerald stair,
gems, tortoise shell
Sculpture: Balthasar
Permoser
Setting: Dinglinger
workshop
Tortoise shell veneer:
Wilhelm Krüger
Lacquer: probably
Martin Schnell
Dresden, probably 1724
H. 25.12 in.

70 **Sitting satyr**
Boxwood and other
woods, ivory
Bust of a bauble:
Flemish, around 1600
Child's bust:
Germany, 1st half of the
16th century
Satyr: Balthasar
Permoser
Dresden, probably 1724
H. 10.8 in.

64 et 65 **Détails du
»Trône du grand
mogul Aureng-Zeb«**
Bois, or, argent en partie
doré, émail, pierres
précieuses, perles, laque
Johann Melchior
Dinglinger et atelier
Dresde, 1701–1708
H. 58 cm, P. 114 cm,
L. 142 cm

66 **Coupe avec
négresse**
Cornes de rhinocéros,
or, argent, émail,
diamants
Coupe: Benjamin
Thomae
Monture: Johann
Melchior Dinglinger
Peinture sur émail:
Georg Friedrich
Dinglinger
Dresde, vers 1709
H. 37 cm

67 **Coupe d'ornement
avec bacchanales
d'enfants**
Agate, or, émail, perles,
diamants
Signé Johann Melchior
Dinglinger
Email: Georg Friedrich
Dinglinger
Dresde, 1711
H. 32,5 cm

68 **Deux guerriers
africains**
Bois d'ébène, or, argent
doré, émail, pierres
précieuses
Sculpture: Balthasar
Permoser
Monture: Johann
Melchior Dinglinger
Dresde, 1690–1700
H. 9,5 cm et 10 cm

69 **»Nègre« au bloc
d'émeraude**
Bois de poirier laqué,
argent doré, grand bloc
d'émeraude, pierres
précieuses, écaille
Sculptures: Balthasar
Permoser
Monture: atelier de
Dinglinger
Placage d'écaille:
Wilhelm Krüger
Vernissage: Martin
Schnell
Dresde, 1724
H. 63,8 cm

70 **Satyre assis**
Buis et autres bois, ivoire
Buste d'un sceptre de
fou: Flandres, vers 1600
Buste d'enfants:
Allemagne, 1ère moitié
du 16ième siècle
Satyre: Balthasar
Permoser
Dresde, 1724
H. 27,5 cm

71 **Coupe Nautile**
Argent doré, coquille de
nautile, corail, grenats
Taille de la coquille de
nautile: atelier de
Cornelius van Bellekin
Amsterdam 1650–1660
Groupe à pied:
Nuremberg, début du
17ième siècle
Nouvelle monture:
Johann Heinrich Köhler
Dresde, 1724
H. 42 cm

71 **Nautiluspokal**
Silber, vergoldet
Nautilusschale, Koralle,
Granate
geschnittene Nautilus-
schale: Werkstatt des
Cornelius van Bellekin
Amsterdam 1650–1660
Fußgruppe: wohl
Nürnberg, Anfang
17. Jahrhundert
Neufassung: Johann
Heinrich Köhler
Dresden, 1724
H. 42 cm

72 **Nautiluspokal**
Nautilusschale, Silber,
vergoldet
Entwurf: Balthasar
Permoser
Goldschmiedearbeit:
Bernhard Quippe
Berlin, um 1707
H. 30 cm

73 **Detail aus einem
Prunkbecken**
Silber, vergoldet
signiert Johann Andreas
Thelot
Augsburg, 1714
Dm. (gesamt) 46,9 cm

74, o. **Einäugiger
Bettler auf Stelzfuß**
Perle, Gold, Email,
Diamanten, Elfenbein
Jean Louis Girardet
Berlin, vor 1725
H. 10,2 cm
74, u. **Fröhlicher Zecher
und Fideler Koch**
Perlen, Gold, Silber,
vergoldet, Edelsteine,
Email
erworben von Ferbecq
Frankfurt a.M., vor 1725
H. 7,9 und 12 cm

75 **Töpfer**
Elfenbein, Gold, Silber,
Email, Edelsteine, Lack
Skulptur: wohl Lücke
Fassung: Johann Hein-
rich Köhler
Dresden, 1710–1720
H. 12 cm

76 **Pendeluhr in
Monstranzform und
Uhr, bekrönt von
einem Bergsänger**
Gold, Silber, vergoldet,
Email, Edelsteine, Perle,
Perlmutter, Malachit
Fassungen: Johann
Heinrich Köhler
Dresden, Anfang
18. Jahrhundert
H. 23 und 15,1 cm

77 **Stutzuhr mit
Darstellung der
Hubertuslegende**
Gold, Silber, vergoldet,
Email, Edelsteine
Gehäuse: Johann
Heinrich Köhler
Uhrwerk: Johann
Gottlieb Graupner
Dresden, nach 1720
H. 36 cm

78 **Weißenfelser
Jagdpokal**
Gold, Email
Goldschmiedearbeit:
Johann Melchior und
Georg Christoph
Dinglinger
Email: Georg Friedrich
Dinglinger
Dresden, 1712–1720
H. 38 cm

79 **Deckelpokal mit
Kameenbesatz**
Silber, vergoldet, Berg-
kristall, Kameen, Achat
Abraham Pratsch
Augsburg, 1717/1718
H. 50,8 cm

71 **Nautilus goblet**
Silver, gilded, nautilus
bowl, coral, garnet
Cut nautilus bowl: work-
shop of Cornelius van
Bellekin
Amsterdam, 1650–1660
Foot group: probably
Nuremberg, beginning
of the 17th century
New setting: Johann
Heinrich Köhler
Dresden, 1724
H. 16.5 in.

72 **Nautilus goblet**
Nautilus bowl, silver,
gilded
Design: Balthasar
Permoser
Goldsmith work:
Bernhard Quippe
Berlin, around 1707
H. 11.8 in.

73 **Detail from a basin
of splendour**
Silver, gilded
Signed by Johann
Andreas Thelot
Augsburg, 1714
Diameter (total): 18.5 in.

74 t. **One-eyed beggar
on a peg leg**
Pearl, gold, enamel,
diamond, ivory
Jean Louis Girardet
Berlin
prior to 1725 H. 4 in.
74 b. **Cheerful reveller
and jolly cook**
Pearls, gold, silver,
gilded, gems, enamel
Acquired from Ferbecq
Frankfurt am Main,
prior to 1725
H. 3.1 in. and 4.7 in.

75 **Potter**
Ivory, gold, silver,
enamel, gems, varnish
Sculpture: probably
Lücke
Setting: Johann Heinrich
Köhler
Dresden, 1710–1720
H. 4.7 in

76 **Pendulum clock
in the shape of a mons-
trance and clock crow-
ned by a singing miner**
Gold, silver, gilded,
enamel, gems, pearls,
mother-of-pearl,
malachite
Settings: Johann
Heinrich Köhler
Dresden, beginning of
the 18th century
H. 9 in. and 5.9 in.

77 **Mantelpiece clock
depicting the legend of
St. Hubert**
Gold, silver, gilded,
enamel, gems
Housing: Johann
Heinrich Köhler
Clockwork: Johann
Gottlieb Graupner
Dresden, after 1720
H. 14.1 in.

78 **Weißenfels hunting
goblet**
Gold, enamel
Goldsmith work: Johann
Melchior and Georg
Christoph Dinglinger
Enamel: Georg
Friedrich Dinglinger
Dresden, 1712–1720
H. 15 in.

79 **Lidded goblet set
with cameos**
Silver, gilded, rock
crystal, cameos, agate
Abraham Pratsch
Augsburg, 1717/1718
H. 20 in.

72 **Coupe Nautile**
Coquille de nautile,
argent doré
Esquisse: Balthasar
Permoser
Orfèvrerie: Bernhard
Quippe
Berlin, vers 1707
H. 30 cm

73 **Détail d'un bassin
d'apparat**
Argent doré
Signé Johann Andreas
Thelot
Augsbourg, 1714
D. (totale) 46,9 cm

74, h. **Mendiant borgne
à la jambe de bois**
Perle, or, émail,
diamants, ivoire
Jean Louis Girardet
Berlin, avant 1725
H. 10,2 cm
74, b. **Buveur et
cuisinier joyeux**
Perles, or, argent doré,
pierres précieuses, émail
Acquis par Ferbecq
Francfort sur le Main,
avant 1725
H. 47,9 cm et 12 cm

75 **Potier**
Ivoire, or, argent, émail,
pierres précieuses, laque
Sculpture: probablement
Lücke
Monture; Johann
Heinrich Köhler
Dresde, 1710–1720
H. 12 cm

76 **Pendule en
ostensoir et montre,
couronnée d'un
chanteur de montagne**
Or, argent doré, émail,
pierres précieuses,
perles, nacre, malachite
Montures: Johann
Heinrich Köhler
Dresde, début du l8ième
siècle
H. 23 et 15,1 cm

77 **Pendule de
cheminée avec
représentation de la
légende d'Hubertus**
Or, argent doré, émail,
pierres précieuses
Boîtier: Johann Heinrich
Köhler
Mécanique: Johann
Gottlieb Graupner
Dresde, après 1720
H. 36 cm

78 **Coupe de chasse
de Weißenfels**
Or, émail
Orfèvrerie: Johann
Melchior et Georg
Christophe Dinglinger
Émail: Georg Friedrich
Dinglinger
Dresde, 1712–1720
H. 38 cm

79 **Coupe à couvercle
ornée de camées**
Argent doré, cristal de
roche, camées, agate
Abraham Pratsch
Augsbourg, 1717–1718
H. 50,8 cm

80 **Coupe**
Chalcedon
Meule de Johann
Friedrich Böttger
Dresde, 1713–1715
D. 13,6 cm

80 **Schale**
Chalzedon
Steinmühle des Johann
Friedrich Böttger
Dresden, 1713–1715
Dm. 13,6 cm

81 **Zwei Flaschen rotes
und klares Glas**
Verfahren des Johann
Friedrich Böttger
Dresden, 1713–1719
H. 28,5 und 27,6 cm

82 **Scaramuz**
Elfenbein, teilweise
gebeizt, Holzsockel
Johann Christoph
Ludwig Lücke
Dresden, vor 1731
H. 21,5 cm

83 **Der Hoftaschen-
spieler Joseph Fröhlich
auf dem Schweine-
gespann**
Elfenbein, Holz, Silber,
Gold, Edelsteine
wohl Carl August
Lücke d.J.
Dresden, vor 1731
H. 23,3 cm

85, r. **Hutkrempe aus
der Saphirgarnitur**
Saphire, Diamantrauten,
Silber, vergoldet
Dresden, um 1722
85, l. **Hutkrempe aus
der Brillantgarnitur
mit dem »Dresdner
Grünen«**
Brillanten, Gold, Silber
Franz Diespach
Dresden, 1768/1769

86 **Brillantgarnitur**
verschiedene Juweliere
Dresden, 1737–1827

87 **Saphirgarnitur**
Johann Melchior
Dinglinger und andere
Juweliere
Dresden, 1700–1738

88, o. **Notizbuch aus
der Schildpattgarnitur**
Schildpatt, Gold, Edel-
steine, Email, Elfenbein
Pierre Triquet und
Johann Heinrich Köhler
Dresden, vor 1733
H. 7,6 cm
88, u. **Uhr mit Uhrkette
aus der Karneolgarnitur**
Uhrwerk, Karneol,
Edelsteine, Gold, Silber,
vergoldet, Email
Johann Melchior
Dinglinger
Dresden, 1713–1719
L. (der Kette) 22 cm

89 **Hirschfänger mit
Scheide aus der
Smaragdgarnitur**
Smaragde, Brillanten,
Gold, Silber, Achat,
Stahl, Leder
Johann Melchior
Dinglinger
Dresden, 2. Jahrzehnt
18. Jahrhundert
H. (des Griffes) 15 cm

90 **Pietradura-Tafel**
Marmor, Achat,
Amethyst, Chalzedon,
Jaspis, Lapislazuli
Florenz, vor 1748
H. 60,5 cm

91 **Zwei Dosen**
Gold, Edelsteine, Papier
Johann Christian
Neuber
Dresden, Ende
18. Jahrhundert
L. 9,1 cm und Dm. 7,5 cm

80 **Bowl**
Chalcedony stone mill
of Johann Friedrich
Böttger, Dresden,
1713–1715
Diameter: 5.4 in.

81 **Two bottles red
and translucent glass**
Procedure of Johann
Friedrich Böttger,
Dresden, 1713–1719
H 11.2 in. and 10.9 in.

82 **Scaramouche**
Ivory, partly varnished,
wooden base
Johann Christoph
Ludwig Lücke
Dresden, prior to 1731
H. 8.5 in.

83 **The court conjurer
Joseph Fröhlich on a
boar team**
Ivory, wood, silver, gold,
gems
Probably by Carl August
Lücke J., Dresden,
prior to 1731
H. 9.2 in.

85 l. **Hat brim from the
sapphire set**
Sapphires, diamond
rhombi, silver, gilded
Dresden,
around 1722
85 r. **Hat brim from
the diamond set with
the Dresden Green
Diamond**
Diamonds, gold, silver
Franz Diespach
Dresden, 1768/1769

86 **Diamond set**
Various jewellers
Dresden, 1737–1827

87 **Sapphire set**
Johann Melchior
Dinglinger and other
jewellers, Dresden,
1700–1738

88 t. **Notebook from
the tortoise shell set**
Tortoise shell, gold,
gems, enamel, ivory
Pierre Triquet and
Johann Heinrich Köhler
Dresden, prior to 1733
H. 3 in.
88 b. **Watch with chain
from the carnelian set**
Clockwork, carnelian,
gems, gold, silver, gilded,
enamel
Johann Melchior
Dinglinger
Dresden, 1713–1719
L. (of the chain) 8.7 in.

89 **Hirschfänger
(hunting dagger) with
sheath from the
emerald set**
Emeralds, diamonds,
gold, silver, agate, steel,
leather
Johann Melchior
Dinglinger
Dresden, 2nd decade
of the 18th century
H. (of the handle) 5.9 in.

90 **Pietra dura panel**
Marble, agate, amethyst,
chalcedony, jasper, lapis
lazuli
Florence, prior to 1748
H. 23.8 in.

91 **Two boxes**
Gold, gems, paper
Johann Christian
Neuber, Dresden, end
of the 18th century
L. 3.6 in., diameter 3 in.

81 **Deux bouteilles
Verre rouge et clair**
Procédé de Johann
Friedrich Böttger
Dresde, 1713–1719
H. 28,5 et 27,6 cm

82 **Scaramouche**
Ivoire, en partie corrode,
socle de bois
Johann Christophe
Ludwig Lücke
Dresde, avant 1731
H. 21,5 cm

83 **Le faiseur de tours
de la cour, Joseph
Fröhlich, sur l'attelage
de cochons**
Ivoire, bois, argent, or,
pierres précieuses
Karl August Lücke d. J.
Dresde, avant 1731
H. 23,3 cm

85, d. **Rebord de
chapeau d'une parure
de saphirs**
Saphirs, losanges de
diamants, argent dorés
Dresde, vers 1722
85, g. **Rebord de
chapeau d'une parure
de brillants avec le
»vert de Dresde«**
Brillants, or, argent
Franz Diespach
Dresde, 1768–1769

86 **Parure de brillants**
Différents joailliers
Dresde, 1737–1827

87 **Parure de saphirs**
Johann Melchior Din-
glinger et autres joailliers
Dresde, 1700–1738

88, h. **Carnet
appartenant à une
parure d'écaille**
Écaille, or, pierres
précieuses, émail, ivoire
Pierre Triquet et Johann
Heinrich Köhler
Dresde, avant 1733
H. 7,6 cm
88, b. **Montre avec
chaîne de montre de
la parure en cornaline**
Mécanisme de la montre,
cornaline, pierres
précieuses, or, argent
doré, émail
Johann Melchior
Dinglinger
Dresde, 1713–1719
L. (de la chaîne) 22 cm

89 **Couteau de chasse
avec fourreau de la
parure d'émeraude**
Émeraude, brillants, or,
argent, agate, acier, cuir
Johann Melchior
Dinglinger
Dresde, deuxième
décennie du l8ième
siècle
H. (du manche) 15 cm

90 **Tableau en pietra
dura**
Marbre, agate,
améthyste, chalcedon,
jaspe, lapis-lazuli
Florence, avant 1748
H. 60,5 cm

91 **Deux boites**
Or, pierres précieuses,
papier
Johann Christian
Neuber
Dresde, fin du l8ième
siècle
L. 9,1 cm et D. 7,5 cm

Bibliographische Information Der Deutschen Bibliothek
Die Deutsche Bibliothek verzeichnet diese Publikation in der Deutschen Nationalbibliographie;
detaillierte bibliographische Daten sind im Internet über
http://dnb.ddb.de abrufbar.

ISBN 3-7338-0335-3

Herausgegeben von den Staatlichen Kunstsammlungen Dresden

© 2., aktualisierte Auflage 2005 by Koehler & Amelang GmbH, Leipzig
www.koehler-amelang.de
www.seemann-henschel.de

Übersetzung in die englische Sprache: Gabriele Graf und Herbert R. Nestler, Putzbrunn
Überarbeitung: Catherine Hughes, Berlin
Übersetzung in die französische Sprache: Yasmine Scheurer und Isabelle Cruchon, München
Überarbeitung: Karin Passebosc, Berlin

Die Farbaufnahmen stammen von Jürgen Karpinski, ausgenommen die Farbaufnahmen
von Christine und Günter Starke auf den Seiten 16, 40, 55, 87.
Schwarzweißaufnahmen: Sächsische Landesbibliothek Dresden, Fotothek; Seite 6/7, 8, 9, 11

Gedruckt auf alterungsbeständigem Papier mit chlorfrei gebleichtem Zellstoff.

Die Schreibweise folgt den Regeln der alten Rechtschreibung.

Covergestaltung: Ingo Scheffler, Berlin
Titelbild: Ausschnitt aus »Der Thron des Großmoguls Aureng-Zeb«, siehe auch Seite 64/65
Graphische Gestaltung: Michael Bauer, Weißenfeld
Druck und buchbinderische Verarbeitung: Jütte-Messedruck Leipzig GmbH

Printed in Germany